3,95

DE VERLATENE

Mies Vreugdenhil

De verlatene

Citerreeks

1

Het huis stond aan een doodlopende straat, zodat het gevrijwaard was van alle doorgaande verkeer.

Het rieten dak zag er verzorgd uit en de tuin was een compositie van zachte kleuren. De deuren naar het terras stonden open en pianoklanken zweefden naar buiten.

Met een tevreden uitdrukking op haar gezicht nam Loes alles in ogenschouw. Het was perfect, de gasten konden komen. Haar hand ging naar het brede, bewerkte zilveren collier dat haar hals omsloot. Een cadeau van Paul, haar man. Het was hun zilveren bruiloft.

'Voor vijfentwintig zilveren jaren,' had hij gezegd toen ze het doosje van een bekende juwelier uit het zilverkleurige pakpapier haalde.

Een paar kleine diamantjes flonkerden haar tegemoet. Het was een smaakvol collier en ze verbaasde zich erover dat het haar zo goed paste en dat het haar zo goed stond.

Ze voelde zich een gelukkige vrouw. Een mooi huis, een goed inkomen en geen zorgen. Dat zou iedereen zich toch wensen? Maar bij hen was het realiteit. Ze zou met niemand willen ruilen.

De pianioklanken hielden op. Ze liep naar binnen om de cd op *repeat* te zetten zodat ze er niet iedere keer naartoe zou hoeven lopen.

Het was zachte, beschaafde muziek, die als achtergrond zou dienen om de avond op te luisteren. Beethoven, Chopin – het was de keuze van Paul, die het hele feest had georganiseerd. 'Vijfentwintig jaar is een mijlpaal,' had hij gezegd. 'Je weet immers nooit of je de vijftig jaar haalt.'

Hij had, in overleg met haar, alles besteld bij een cateringbedrijf.

Hun vaste hulp, Betty, had haar zuster meegebracht zodat er die avond hulp genoeg zou zijn om iedereen naar wens te bedienen.

De uitnodigingen die ze hadden verstuurd, waren gedrukt op roomkleurig geschept papier. Een enkele zilveren vlinder versierde het geheel.

In de keuken klonk het gerinkel van kopjes, schoteltjes en lepeltjes. Ze liep naar de tussendeur om even Betty's zuster goedendag te zeggen.

'O, mevrouw, wat ziet u er mooi uit,' zei Betty spontaan met een blik op het kapsel en de japon van Loes.

'Het is ook een speciale avond,' zei Loes met een glimlach.

'Ik hoop dat hij onvergetelijk wordt.'

Ze keek op haar horloge. 'Met een klein halfuur zullen de meeste gasten er wel zijn. We beginnen met de champagne als welkom.'

Betty knikte. 'Die staat al in de koelers, mevrouw.'

'Prima.' Loes liep terug de kamer in en liet zich zakken op de mooie, witte bank. Ze keek rond, blij met haar interieur à la Jan des Bouvrie. Alles wit, met een enkel pastelkleurig accent.

Hoe gelukkig kon een mens zijn! Haar leven liep op rolletjes. Er waren geen geldzorgen. Paul had een goede baan en ze waren allebei kerngezond.

Alleen jammer dat ze geen kinderen hadden gekregen. Ze waren jong getrouwd; Loes was twintig en Paul vierentwintig toen ze in het huwelijksbootje stapten.

Ze hadden verwacht dat de kinderen vanzelf zouden komen, maar dat was niet zo geweest. Na jaren van wachten waren ze door de medische molen gegaan en toen was gebleken dat Loes degene was die onvruchtbaar was.

Het was een moeilijke tijd voor hen geweest, maar ze waren er goed doorheen gekomen.

Paul had het in het begin heel erg gevonden. Hij

was dol op kinderen en moest na de uitslag zijn toekomstbeeld bijstellen. Op den duur was het gesleten. Ze praatten er niet meer dagelijks over en volgens Loes had Paul er zich bij neergelegd. Hij zei er tenminste niets meer over. Ze konden samen op vakantie als ze wilden en allerlei dingen doen waar mensen met kinderen helemaal niet meer aan toe kwamen.

In het begin had ze zich heel schuldig gevoeld, maar de dokter had haar weten te overtuigen dat hier helemaal geen sprake was van schuld.

Ze was toch niet moedwillig onvruchtbaar? Zulke dingen gebeurden nu eenmaal in het leven en de arts zou niet graag de echtparen de kost willen geven die in dezelfde situatie zaten.

Daarom waren er tegenwoordig zo veel mogelijkheden uitgevonden die ze bij onvruchtbare stellen konden toepassen.

Zoals?

IVF-behandeling, eiceldonatie, draagmoeders, enzovoort. Er waren nog veel meer kansen, ze duizelde ervan.

Loes wilde best nadenken over dit alles, maar Paul had de dokter duidelijk gemaakt dat hij absoluut niets voelde voor al die medische kunstgrepen.

Het gebeurt op de natuurlijke manier of anders niet, vond hij. Hij was er heel stellig in geweest en dat had Loes verbaasd. Als ze het voorzichtig ter sprake bracht, ketste Paul het direct af.

'Je weet hoe ik erover denk, Loes.'

'Maar hoe denk je over adoptie?' had ze gevraagd. 'Dat is toch ook een mogelijkheid?'

'Niet mijn mogelijkheid, Loes.'

Het had haar verdriet gedaan dat Paul had gezegd dat hij geen kind van een ander wilde opvoeden.

Ze werd in haar gedachtenstroom gestoord door Paul, die de kamer binnenkwam. Hij zag er goed uit in zijn lichte linnen kostuum. Loes glimlachte vriendelijk naar hem.

'Waar zijn de vijfentwintig jaren gebleven.' Ze stond op om zijn hand te pakken. 'Bedankt voor alle fijne jaren,' vervolgde ze. 'Ze zijn omgevlogen.'

'We zijn toch nog jong?' vroeg hij.

'Daar heb je gelijk in. Vijfenveertig en negenenveertig is beslist nog niet oud.'

De bel ging en ze haastten zich naar de deur om de gasten te ontvangen.

Haar ouders kwamen als eersten binnen. Paul had geen ouders meer. Die waren een paar jaar geleden door een auto-ongeluk om het leven gekomen. Door een verkeerde inhaalmanouvre waren ze allebei op slag dood geweest.

Hij had wel een oudere zuster, zij zou die avond ook komen.

Van de ouders van Loes kregen ze een cassette met zilver. 'Toen jullie trouwden, konden we jullie zo'n geschenk niet geven,' grapte haar vader. 'Maar nu komt het er toch van.'

Loes had het model in een folder mogen uitzoeken zodat het helemaal naar haar zin zou zijn. Maar het was toch anders om het glanzend zilveren bestek op blauw fluweel te zien liggen. Ze omhelsde haar ouders hartelijk, terwijl ze hen bedankte.

'We hopen dat jullie nog veel gelukkige jaren zullen hebben,' zei haar moeder.

En haar vader voegde eraan toe: 'Dat is ook mijn wens. Maar verder hoop ik, kind, dat je weer zult terugkeren naar de kerk, waar je gedoopt bent en waar jullie zijn getrouwd.'

Loes had er een hekel aan dat ze dat zeiden, want ze had zo helemaal voor haar eigen leven gekozen. Ze was gedoopt en had belijdenis gedaan, dat wel, maar het was allemaal veranderd nadat ze Paul had leren kennen. Hij kwam uit een familie die nergens meer aan deed. Hij had beloofd dat hij mee zou gaan naar de kerk, maar hij was daarin in gebreke gebleven.

Loes had gehoopt dat ze hem op andere gedachten zou kunnen brengen. Maar in plaats van dat hij met haar meeging naar de kerk, was zij afgehaakt.

Na een drukke week was het prettig om 's zondags eens uit te slapen en te doen wat ze zelf wilden. Soms reden ze naar de zee om een lange strandwandeling te maken.

Per slot van rekening kun je God ook vinden in de natuur, had Paul haar gerustgesteld als haar geweten weer eens protesteerde. En op den duur had ze helemaal voor de levenswijze van Paul gekozen.

Maar op dit ogenblik had ze helemaal geen zin om met haar ouders in discussie te gaan.

'Je weet nooit wat er allemaal nog kan gebeuren,' zei ze vriendelijk. 'Gaan jullie maar op de bank zitten. Voor de rest hebben we geen vaste plaatsen voor de gasten. Het is juist de bedoeling dat ze een beetje rondlopen zodat ze met deze of gene een praatje kunnen maken.'

Ze volgden haar aanwijzingen gehoorzaam op. Haar moeder had een mooi, nieuw pakje aan met zachte kleuren en haar vader had zijn zondagse pak aangetrokken.

Een voor een druppelden de gasten binnen en weldra was het een gezellig geroezemoes van stemmen en tinkelende glazen. Ze hadden verder gekozen voor een buffet. Op een lange tafel langs de muur stonden de heerlijkste dingen. Salades, soepen, broodjes, koud en warm, vlees, kip, sauzen, fruit en nagerechten. De catering had het allemaal keurig verzorgd. De meisjes die met de bediening hielpen, hoefden alleen koffie en wijn in te schenken en leeg serviesgoed mee naar de keuken te nemen. Voor de rest zouden de gasten zichzelf helpen met opscheppen of een stuk taart afsnijden.

Loes bracht haar ouders eerst een glaasje champagne om op hun vijfentwintigjarig huwelijksfeest te drinken.

'Wat hebben jullie er veel werk van gemaakt,' zei haar moeder, die binnen korte tijd een blos op haar wangen had van de champagne.

'Het is niet niks tegenwoordig, om zo lang getrouwd te zijn met dezelfde man,' zei haar vader met een knipoog. 'Hoeveel paren gaan er niet scheiden. Die houden het na een paar jaar voor gezien. Zo veel mensen doen geen moeite meer voor hun huwelijk. Als het niet klikt, of als ze verliefd worden op een ander, hup, uit elkaar.'

'En denk eens aan die arme kinderen die er de dupe van worden,' vulde haar moeder aan.

'Gelukkig is dat bij ons niet zo,' zei Loes, en ze keek naar Paul, die geanimeerd met verschillende mensen stond te praten.

'Nee, je hebt veel geluk gehad in je huwelijk.' Haar moeder nam het laatste slokje van de champagne en gaf Loes het lege glas aan.

Loes bracht het direct naar de keuken. Ze was bang dat haar moeder nog iets over hun kinderloosheid zou zeggen. Haar moeder flapte er sneller iets uit dan haar vader. Die dacht van tevoren meer over zijn woorden na.

En ze wilde deze feestelijke avond niet bederven door het stille verdriet dat in haar hart woonde weer aan te wakkeren. Vanavond alsjeblieft niet.

Paul tikte tegen zijn glas en vroeg een ogenblik stilte. Hij dankte alle gasten hartelijk voor hun komst en de geschenken die ze meegebracht hadden.

Hij zei blij te zijn dat er zo veel mensen aanwezig waren om hun vijfentwintigjarig huwelijk mee te vieren. Hij betrok Loes erbij door te zeggen dat ze hem altijd met veel liefde en geduld had bijgestaan. Hij hoopte dat hun verbintenis nog lang zou voortduren en vroeg de gasten om aan het buffet te beginnen. Nou, dat was niet aan dovemansoren gezegd.

Weldra was het een geroezemoes en stond iedereen met een bordje in de hand om de lekkere dingen op te scheppen die op de lange tafel uitgestald waren.

Halverwege de avond kwam de zuster van Paul. Ze was niet in de gelegenheid geweest vroeger te komen, zei ze spijtig tegen Loes.

Maar die verwelkomde haar hartelijk met een glaasje champagne zoals alle gasten bij het binnenkomen hadden gekregen.

'Nou Lisa, ga je gang,' zei Loes terwijl ze naar de gerechten wees.

'Even met Paul bijpraten, ik heb hem nog niet gefeliciteerd.' Lisa zette haar glas neer en verdween richting Paul.

Gelukkig dat hij Lisa nog heeft, dacht Loes. Geen familie hebben lijkt me vreselijk. Ze hadden altijd al goed met elkaar kunnen opschieten, maar na de dood van hun ouders was de band tussen hen steviger geworden.

Hanna, de zus van Loes, woonde in Dubai, samen met haar man, die voor een grote oliemaatschappij werkte en daarheen was uitgezonden.

Op zulke dagen mis je elkaar het meest, dacht Loes. Ze kwamen af en toe wel met verlof, maar het was onmogelijk om voor verjaar- en gedenkdagen steeds over te komen. Ze hadden een prachtig bloemstuk laten bezorgen en op die manier waren ze ook een beetje aanwezig.

Om twaalf uur wilden haar ouders graag naar huis.

'Zal ik een taxi bellen?' vroeg Loes bezorgd, maar haar vader verklaarde dat hij zelf kon rijden. Behalve het glaasje champagne aan het begin van de avond had hij geen alcohol meer gedronken.

'Je vindt het toch niet erg hè, Loes?' vroeg haar moeder. 'We hebben het heel gezellig gehad, maar nu wordt het ons een beetje te druk. We zijn heel wat ouder dan de gemiddelde gast, dus ze zullen het wel begrijpen.'

'Natuurlijk,' zei Loes hartelijk, en ze seinde Paul in om ook afscheid te nemen.

Ze liepen mee naar buiten om hen uit te zwaaien en bleven kijken tot de rode achterlichten om de hoek waren verdwenen. Loes pakte Paul bij de hand. 'Je hebt me een geweldig mooi feest gegeven,' zei ze dankbaar.

Paul glimlachte en samen liepen ze weer naar binnen.

Het duurde tot een uur of drie, toen waren alle gasten pas vertrokken. De schalen waren leeg, evenals de wijnflessen. Het was een onvoorstelbare puinhoop in de kamer.

De hulpen waren al lang voor twaalf uur naar huis gegaan. Loes had met hen afgesproken dat ze de volgende dag alles zouden komen schoonmaken, nadat het cateringbedrijf de spullen had opgehaald.

Ze waren alleen. Loes kon haar ogen bijna niet openhouden van vermoeidheid.

'Het enige waar ik naar verlang, is dat ik mijn schoenen uit kan schoppen en zo mijn bed in kan duiken,' zei ze geeuwend.

'Dan doe je dat toch,' zei Paul. 'Ik heb ook geen

zin meer in een douche of bad. Morgen staat ons heel wat te wachten.'

Loes knikte. Maar wat hen eigenlijk te wachten stond, wist ze niet.

2

De overgordijnen waren niet helemaal gesloten en door een kier scheen de zon naar binnen. De stralen gleden over het behang en langs de trouwfoto, die in een mooie lijst aan de muur hing.

Loes opende haar ogen en besefte dat het de dag ná 'de dag' was.

Ze had een vieze smaak in haar mond, maar dat kwam omdat ze de hele avond had gegeten, en een paar glazen wijn erbij had genomen.

Ze keek naar Paul, die naast haar nog diep in slaap was. Zijn hoofd hing wat achterover en uit zijn open mond klonk regelmatig gesnurk.

Hij zag er moe uit, stelde ze vast. Maar ja, als ze zelf in de spiegel zou kijken, zou ze ook niet veel fraais ontdekken.

Een lekker warm bad, met een koude douche na, zou hen wel weer een beetje bij de tijd brengen, dacht ze.

En daarna een sterke, hete kop koffie. Ze sloot

haar ogen om nog wat na te soezen. De hulpen zouden pas om tien uur komen en nu was het halfacht. Tijd genoeg dus.

Paul opende langzaam zijn ogen. 'Ben je al wakker?'

'Ja, nog maar net. Maar ik voel me allesbehalve fris.'

'Nou, ik voel me precies hetzelfde. Hoe laat komen ze hier schoonmaken?'

'Om tien uur.'

'En hoe laat denk je dat ze klaar zijn?'

'Om twaalf uur zeker, want dan moeten ze weg.'

'Oké.' Paul sloeg het dekbed opzij en stapte naast het bed. 'Ik ga me langdurig douchen, daarna scheren en aankleden. We gaan ontbijten en de middag heb ik bestemd voor iets anders.'

'Hoezo?'

'Ik wil eens uitgebreid met je praten, Loes. Daarom heb ik vandaag de hele dag vrij genomen.'

'Maar het is toch zaterdag? Dat is immers al een vrije dag!'

'Dat weet ik. Maar hoeveel zaterdagen moet ik nog ergens voor mijn werk heen? Of zit ik achter de computer?'

'Ja, dat is waar. Maar wat is het? Waar gaat het over? Kun je dat nu alvast niet zeggen?'

'Nee, dat kan niet. We moeten er samen rustig bij zitten. Je komt het vanzelf wel te weten.'

Loes bleef niet aandringen. Ze sloot haar ogen en lag te luisteren naar het spetterende water in de badkamer.

Ze besloot om geen warm bad, maar een douche te nemen, net als Paul nu deed. Dan kon ze gelijk haar haren lekker wassen. Die stonden stijf van de lak.

Wat zou hij te bespreken hebben? Ze was daar nu wel nieuwsgierig naar geworden. Zou het te maken hebben met de woelige tijden in zijn bedrijf? Zou hij ontslagen worden? Het kon natuurlijk ook zijn dat hij een kwaadaardige ziekte onder de leden had. Maar dan zou ze dat toch wel gemerkt hebben. Wat zou...?

Haar gedachten werden onderbroken omdat Paul binnenkwam. Zijn haar was nat en ze rook zijn kruidige aftershave.

'Zo, dat was heerlijk. Ik voel me een ander mens.' Hij droogde zijn haar verder met een donzige witte handdoek.

Loes ging zitten. 'Paul, ik ben zo nieuwsgierig.'

Hij schudde resoluut zijn hoofd. 'Nee, Loes, het kan niet met een paar woorden.'

Nou, dan zou ze zich er maar bij neerleggen. Hij was vastbesloten niets te zeggen. Straks zouden ze nog ruzie krijgen terwijl ze helemaal niet wist waarover het zou gaan.

Het was inderdaad fijn. Een lekkere, warme douche met heerlijk geurend badschuim. Haar haren waren weer zacht en glanzend. Ze eindigde met koud water, wel frisjes, maar goed voor de bloedsomloop. In haar badjas liep ze naar beneden, terwijl de koffiegeur haar halverwege de trap al tegemoet kwam. Paul was met het ontbijt bezig. 'Wil je ook een geroosterde boterham?'

'Ja, graag.'

Een boterham met pruimenjam en een grote mok koffie, lekker, dacht ze.

Zwijgend aten ze. Paul schonk nog eens koffie in en ritselde met de krant. 'Ik ga maar buiten zitten. Het is goed krantenweer, geen wind en wel zonneschijn.'

Goed, dacht Loes. De hulp kwam zo dadelijk en dan was er genoeg te doen tot aan de middag.

Eindelijk, eindelijk zaten ze samen op het terras. Loes keek naar Paul, die zenuwachtig was. Dat had ze wel in de gaten.

'Nou, begin maar!'

Hij zocht naar woorden. 'Loes, het valt me vreselijk zwaar wat ik je wil zeggen. Ik heb er heel lang over nagedacht en alles tegen elkaar afgewogen, maar ik kan mijn gevoelens en verlangens niet aan de kant schuiven. Niet meer, eigenlijk. Ik wil zo graag een kind van mezelf. Ik wil vader worden.' Hij zweeg, durfde Loes niet aan te kijken.

Zij zat doodstil. Ze snapte niet goed wat hij nu wilde. 'Paul, ik ben vijfenveertig. Moet ik nu nog door de medische molen? Daar is het te laat voor.'

'Nee, je hebt gelijk. Daarvoor ben je nu te oud. Ik heb er spijt van dat we het jaren geleden niet hebben doorgezet.'

'Dat was jouw schuld.'

'Ja, Loes, dat was mijn schuld, daar heb je volkomen gelijk in. Maar dat doet er nu niet toe.'

'Wat dan wel? Hoe wil je dit probleem oplossen, jouw gevoelens en verlangens behartigen?'

Hij ging niet op haar vraag in. 'Ik ben negenenveertig. Het kan nog. Ik zou zo graag een gezin stichten. Ik heb er zo lang naar verlangd.'

Loes begreep er niets van. Hij wilde een kind van zichzelf, maar dat kon niet. Ze keek hem vol onbegrip aan. Haar hersens draaiden op volle toeren.

'Je zou dus een gezin willen stichten, maar niet met mij, begrijp ik. Leg me dat alsjeblieft eens uit.'

Hij zuchtte, hij voelde zich op dit moment een schoft. 'Een jaar geleden kwam er een nieuwe collega bij op de zaak. Een weduwe met een jongetje van vier jaar. Af en toe, toen ze nog geen auto had, bracht ik haar naar huis. Ze kende hier nog niemand. Dan haalden we eerst haar zoontje uit het kinderdagverblijf. Zo is het gekomen.'

'Je bedoelt Eline van Uden?'

'Ja, die bedoel ik.'

'Hebben jullie iets samen?'

Hij schudde zijn hoofd. Maar niet met overtuiging. Ze geloofde hem niet. Haar hart hamerde in haar borst en ze snakte naar adem.

Als het waar was wat hij zei, zou dit het einde van hun huwelijk zijn.

'Hoe durf je,' zei ze woedend.

'Ik ben er iedere dag mee bezig, Loes. Het is zo moeilijk.'

'Ik zie geen enkele moeilijkheid, Paul. We zijn getrouwd. Al vijfentwintig jaar. Dat hebben we gisteren met een groot feest gevierd. De rommel is net opgeruimd.'

'Ik gunde jou dat feest zo,' zei hij. 'En daarmee wilde ik het afsluiten.'

'Afsluiten, nu nog mooier. Trouwens, Paul, we zijn in de kerk getrouwd, daar hebben we een belofte afgelegd, voor Gods aangezicht.'

Het was jouw speciale wens om in de kerk te trouwen. Ik had daar niet zo veel mee. Dat weet je best. En zo'n trouwe kerkbezoekster was je ook niet. Ze zagen je nooit.'

Ze was even stil. Het was waar wat hij zei. Ze had het er lelijk bij laten zitten. En dit was volkomen haar eigen schuld. Nu werd ze door haar eigen daden klemgezet.

'Paul, ik wil dit helemaal niet. Ik houd van je. Ik ben gelukkig hier. We hebben een mooi huis, geen zorgen, het ontbreekt ons aan niets.'

Behalve aan kinderen, dacht ze bij zichzelf. Maar dat zei ze niet tegen Paul.

Het kon toch niet waar zijn wat hij allemaal zei. Dit zou niemand geloven.

'Paul, ik denk dat je overspannen bent, dat je het te druk op je werk hebt. Een burnout misschien of een midlifecrisis.'

Hij schudde zijn hoofd. 'Dit speelt al veel langer. Het komt niet zomaar van de ene dag op de andere. Het was eigenlijk al vóór ik Eline ontmoette.'

'Dus zij was de *trigger* om ermee voor de dag te komen.'

'Waarschijnlijk wel. Ik wilde je beslist ons vijfentwintigjarig huwelijksfeest niet onthouden. Daar heb ik naartoe geleefd. Naar een eindpunt en een nieuw begin.'

Ze ging staan en begon heen en weer te lopen. Zo kon ze haar zenuwen misschien een beetje in bedwang houden. Ze snapte er niets van. Maar de pijn die ze voelde, was als een dolksteek in de rug. 'Dat betekent dus dat ik, al ik weet niet hoelang, voor de gek ben gehouden. Je hebt maar gedaan alsof. Je houdt niet meer van me. Je hebt me in de waan gelaten dat we een goed huwelijk hadden. Je hebt zo helemaal alleen allerlei dingen bedacht waardoor je van me af zou kunnen komen. Waardoor je vrij zou kunnen zijn. Want dat is toch je doel in dit alles, hè? Vrij zijn?'

Hij haalde zijn schouders op.

'Nou, geef eens antwoord!'

'Misschien!'

'Je maakt ons volkomen belachelijk.'

'Dat moet dan maar.'

Ze wees op de mooie zilveren ketting die ze de dag ervoor had gekregen. 'En dit dan, Paul?'

'Die had je verdiend.'

'Voor vijfentwintig jaar trouwe dienst, bedoel je. Een zilveren handdruk als ontslagbonus.' Haar stem klonk bitter.

Ze voelde zich meer overrompeld en in verwarring dan ze ooit had meegemaakt.

'Dus het besluit dat je wilt scheiden, staat vast?'

'Ja, dat staat vast.'

Ze liep op hem toe en pakte zijn hand. 'Paul, alsjeblieft,' smeekte ze, terwijl de tranen in haar ogen sprongen. 'Laten we in huwelijkstherapie gaan, zodat we erover kunnen praten. Als je veranderingen wilt: daar sta ik voor open. Maar laat me niet in de steek. Misschien kunnen we het misverstand oplossen, zodat we opnieuw kunnen beginnen.'

'Het is geen misverstand, Loes. Het is pure werkelijkheid.'

'Voor jou misschien. Voor mij komt het als een volslagen verrassing. En wat voor een... Ik dacht dat we het goed hadden samen. Ik heb dit helemaal niet aan voelen komen. Paul, zet dit niet door!'

'Ik kan niet meer terug, Loes.'

'Hoe bedoel je dat? Je zei toch dat er niets tussen jullie was? Heb je dat gelogen?'

'Eigenlijk wel...' Hij wendde zijn hoofd af en kneep zijn handen in elkaar.

'Maar waarom kun je niet terug?'

'Ze is zwanger.'

'Zwanger van jou?'

'Eh... ja.'

'Hoelang al?'

'Drie maanden.'

Ze voelde haar lichaam als één bonk pijn. Van haar hoofd tot haar voeten golfde de pijn heen en weer.

'Vuile verrader.' Ze stikte bijna in haar woorden. Het liefst was ze naar de keuken gegaan en had ze haar grote teflon koekenpan gepakt. Ze liep al die richting uit, maar bij het keukenkastje bedacht ze zich. Ze zou hem het liefst met een paar grote klappen de grond in slaan. Beuken op dat hoofd, dat ze eens had gestreeld en gekoesterd, maar waar ze nu van walgde.

Haar woede was zo groot dat ze hem wel wat kon aandoen. Die overspeler, wat dacht hij wel.

Niet doen, Loes, zei een stemmetje in haar hoofd. Maak geen bittere ex-vrouw van jezelf. Blijf je kalmte bewaren zover je dat kan.

Ze liep naar de stoel waar hij nog steeds in zat. Met één ruk trok ze het zilveren collier van haar hals en gooide het hem in zijn gezicht. 'Dat hoef ik niet meer.'

Wat een huichelaar was hij. Ongelooflijk. Gisteren zo veel lieve dingen gezegd. De kamer stond vol bloemstukken en cadeautjes. Op een tafeltje lag een stapel felicitatiepost. Ze had nog niet eens alles opengemaakt en gelezen.

En nu dit!

Had hij het maar eerder gezegd. Dan had ze heel het feest kunnen afblazen. De aardige, liefdevolle man spelen, maar intussen was ze al maandenlang bedrogen. Die zwangerschap kwam toch niet zomaar uit de lucht vallen?

Juist in het meest kwetsbare had hij haar getroffen. Zij kon immers niet zwanger worden.

Paul raapte de ketting op en stopte die in zijn broekzak. Hij liep naar de garage en een paar minuten later hoorde ze de auto starten.

Het grind spatte op toen hij wegreed en haar alleen liet.

Ze liep het huis binnen, de trap op, naar de slaapkamer. En terwijl ze zich op het dekbed liet neervallen, kwamen eindelijk de tranen.

'Afgedankt, ingeruild, verlaten!' riep ze. Nog nooit had ze zich zo ellendig gevoeld.

3

Natuurlijk deed ze die nacht geen oog dicht. Paul was laat op de avond teruggekomen. Hij had zijn spullen uit de slaapkamer gehaald en was naar de logeerkamer vertrokken.

Toen ze de volgende morgen het licht door de gordijnen zag schijnen, stond ze op om iets te eten. Ze was blij dat de nacht voorbij was. Het was zondag. Dan was het extra stil op straat. Straks zouden de kerkklokken luiden. Haar ouders zouden naar de kerk gaan. Die kon ze niet met het slechte nieuws op hun dak vallen. Het zou ook voor hen een harde klap zijn. Ze waren in de zeventig, hoe kon ze hen inlichten zonder dat ze in paniek zouden raken?

Ze had nog wel zo'n mooie bestekcassette gekregen. Dat moest een rib uit hun lijf zijn geweest. Nou, die kreeg Paul niet. Dat wist ze zeker. Er zou heel wat veranderen. Talloze vragen doemden op. Ze zou waarschijnlijk hun mooie huis moeten verlaten. En haar autootje, zou ze dat ook moeten missen? En waar zou haar inkomen uit bestaan?

Ze liep terug naar de slaapkamer en kroop haar bed weer in. Ze had tijd nodig om te denken en alles een beetje op een rijtje te zetten, als ze dat tenminste voor elkaar kon krijgen.

Het zou niet meevallen, dat wist ze zeker. Ze was volkomen overrompeld door wat er gebeurd was. Ze had absoluut niets zien aankomen. Paul had het de laatste tijd heel druk gehad. Maar dat had ze op de bedrijfscrisis geschoven. Er waren meer vergaderingen. Hij had meer afspraken. Maar ze had nooit verwacht dat hij ook nog tijd had uitgetrokken om overspel te plegen.

Misschien waren die afspraken het meest met Eline. Dat stond nu wel vast. Ze had enorm met zichzelf te doen.

Zomaar, onverwachts verlaten worden voor een andere vrouw. Ze was de eerste niet die dit overkwam en ze zou ook de laatste niet zijn. Maar toch!

In het christelijke milieu waarin ze was opgevoed, waren echtscheidingen zelden voorgekomen. Maar alles was de laatste jaren veranderd. Mensen gingen sneller uit elkaar. Vooral als er geen kinderen waren. Want kinderen waren vaak het struikelblok en het twistpunt.

En dat was de reden waarom Paul opnieuw wilde beginnen. Vanwege het enige dat ze hem niet kon geven, werd ze afgedankt. Een huwelijk zonder kinderen kon immers ook goed functioneren, had ze altijd gedacht. Dat had het ook jaren gedaan. Hij had nooit verder de medische molen in willen gaan. Van adoptie had hij nooit willen weten. En nu opeens kwam hij erachter dat hij wel kinderen wilde. En zij was de grote verliezer. Ze had niet geweten dat er een competitie aan de hand was, maar de uitslag was verpletterend.

De deur ging open en Paul stapte binnen. Ze draaide haar hoofd opzij, want ze wilde hem niet zien of horen.

Hij liep naar het bed en ging op de dichtstbijzijnde stoel zitten. 'Loes, kunnen we praten?'

Ze draaide zich om. 'Als je maar weet dat ik nooit, nooit ga scheiden. Ik zal het net zo lang tegenhouden als ik maar kan.'

'Dat kun je twee jaar.'

'O, heb je dat al uitgerekend? Je hele plan is dus compleet. Je weet nu honderd procent zeker dat de kinderloosheid aan mij ligt. Want bij Eline lukte het wel. Gefeliciteerd hoor, je zult wel trots op jezelf zijn.'

'Ik vind het afschuwelijk voor je, Loes.'

'Ja dat zal wel. Nu je met de gebakken peren zit. Ik had dit nooit van je verwacht.'

'Het is me gewoon overvallen,' zei Paul terwijl hij met z'n handen door zijn haar streek.

'Als zoiets je overvalt, zoals je nu zegt, dan geef je daar niet aan toe. Natuurlijk kunnen zulke dingen voorkomen, maar dan weet je dat je getrouwd bent. Dan bedrieg je je vrouw niet. Je hebt elkaar toch trouw beloofd.'

'Ik weet het, je hebt volkomen gelijk. Het is helemaal mijn eigen schuld,' zei Paul op berouwvolle toon.

'Daar koop ik toch niks voor. Je bent gewoon achter je begeerte aan gelopen en nu zitten we ermee.'

Loes ging zitten, want het was zo moeilijk praten in een liggende positie. Ze duwde haar rug tegen het hoofdbord van het bed en had de armen om de knieen geslagen. 'Zouden we in therapie kunnen gaan, Paul? En het samen verder proberen?'

'Dat kan ik Eline niet aandoen.'

'Mij dan wel?'

'Eline verwacht een kind. Daar moet ik mijn verantwoordelijkheid voor nemen.' Paul zuchtte hoorbaar.

'Je hoeft niet zo zielig te doen,' wond Loes zich op. 'Je hebt het allemaal aan jezelf te danken. Hebben jullie gewacht tot Eline zwanger was om aan scheiden te denken? Of was je het al eerder van plan?'

'Die zwangerschap ging per ongeluk,' probeerde Paul er zich vanaf te maken.

'Kom nou, geloof je dat zelf? Dat is een belachelijk excuus. Trouwens, geen enkel excuus is hier op zijn plaats. Hield je niet meer van me? Waarom heb je je hierin gestort? Wat heb ik verkeerd gedaan?'

'Ik weet het zelf ook niet.' Hij haalde zijn schouders op.

'Als je dat niet weet, ga dan de kamer maar uit,' zei ze. Maar hij bleef zitten, vastbesloten te praten tot ze een oplossing zouden vinden. Loes bleef naar hem kijken. Was dat nu de man met wie ze op haar twintigste was getrouwd? Voor een heel leven, had ze verwacht! Tot de dood hen zou scheiden. Had ze van hem nu zoveel gehouden? Dat was zomaar niet opeens voorbij. Ze hield nog steeds van hem. En dat bracht haar de tranen in de ogen.

Ze pakte haar verfrommelde zakdoek om haar neus te snuiten.

'Paul, ik houd nog van jou! Dat kun je niet opeens wegpoetsen. Ik wil je niet kwijt. Ik wil niet scheiden. Hoe moet het dan met mij? Je hebt vrijdag zo veel lieve dingen gezegd. Meende je dat niet? Ik was zo gelukkig. Ik kan het gewoon niet geloven.'

'Het spijt me,' kon hij alleen zeggen.

'Nee, het spijt je niet. Anders had je het niet zo ver

laten komen. Ik kan je geen toonbeeld van spijt en hopeloosheid vinden. Je kunt me niet zomaar in de afgrond gooien en dan weglopen alsof er niets is gebeurd, maar er wel 'sorry' bij zeggen.'

'Ik zal een goede regeling voor je treffen, Loes.'

'Kun je dat niet met Eline doen? Kunnen we haar kind niet adopteren? Echt, ik wil het je vergeven, Paul. Maar laat me alsjeblieft niet in de steek.'

Hij bleef een tijdje stilzitten. 'Dat kan ik niet beloven,' zei hij, terwijl hij opstond en wegging.

Nu ze besefte dat hij vastbesloten was, begon ze verder te denken. Het zag er niet naar uit dat hij van gedachten zou veranderen. Ze zou het moeten aanvaarden, of ze wilde of niet. Ze zou de scheiding een tijdje kunnen tegenhouden. Maar dan zou hij van tafel en bed scheiden en dat ging na een bepaalde tijd over in een gewone scheiding. Hij zou met Eline gaan samenwonen, het kind zou geboren worden en hij zou het zijn naam willen geven. Ze was hem kwijt en wat ze ook maar zou bedenken, het zou niet helpen.

Wat verschrikkelijk dat je de grootte van je geluk pas besefte als het voorbij was. Wat had ze gelukkig en zorgeloos geleefd. Geen haar op haar hoofd had erover gedacht dat ze in zo'n situatie als deze zou raken.

Dat gebeurde alleen bij andere mensen. Ze hadden immers een goed huwelijk gehad? Was ze blind en doof geweest voor de signalen die hij had uitgezonden? Had zij er ook schuld aan? Ze pijnigde haar hersens op zoek naar een antwoord, maar kon dat niet geven.

Zou God boos op haar zijn omdat ze niet meer naar de kerk ging? 'Op kerkverzuim kan geen zegen rusten,' zei haar moeder altijd.

Zou het dát zijn?

Ze kwam tot de conclusie dat haar ouders alles in het gebed bij God kwijt konden. Maar zij kon niet meer bidden.

En ze kon ook niet naar de predikant gaan om een gesprek te hebben. Dat durfde ze niet. Hij zou haar zien aankomen. Ze was slechts een papieren lid, dat de kerk nooit bezocht.

En dan zou ze, nu ze tot haar nek in de moeilijkheden zat, opeens om hulp komen vragen. Dat kon ze niet maken. Trouwens, er viel niets meer te herstellen. Paul had zijn geluk bij een andere vrouw gezocht. En misschien, heel misschien, had het nog goed kunnen komen als er geen sprake was van een kind.

Dat kind zat al die maanden in de buik van Eline. Ze kon natuurlijk afwachten of alles goed zou gaan. Maar toen die gedachte door haar hoofd flitste, schaamde ze zich ervoor.

Ze zou nu moeten handelen. Wilde ze Paul dan terug, als hij eventueel zelf terug zou willen komen? Ze kwam er niet uit.

Ze wist ook niet wat ze moest doen. Nog een tijdje in bed blijven liggen of eruit gaan en zich aankleden. Ze zou een wandeling kunnen maken om wat frisse lucht in te ademen en een beetje ruimte in haar hoofd te krijgen. De wind door haar haren voelen en de zon in haar gezicht. Er was geen beter middel bij problemen dan om een eindje te lopen, zei haar moeder altijd.

Maar op dit moment waren de problemen zo groot dat ze de Vierdaagse wel moest lopen om enigszins te kalmeren.

Ze lag op haar rug maar te denken, te denken. Ten slotte viel ze in slaap.

Toen ze haar ogen weer opendeed, dacht ze: heb ik nu zo afschuwelijk gedroomd of was het echt?

Het was echt! De bittere waarheid drong weer tot haar door.

Ze zou zich maar gaan wassen en aankleden, want ze kon moeilijk de hele dag op de rand van haar bed blijven zitten.

Later zette ze een tuinstoel in de schaduw van de bomen. Ze had in de keuken een paar boterhammen klaargemaakt, want haar hoofd stond helemaal niet naar koken. Paul moest maar voor zichzelf zorgen. Ze moest er niet aan denken weer een twistgesprek met hem te beginnen. Hij was trouwens in zijn werkkamer en wellicht met zijn computer bezig.

Hij zou ook heel wat te regelen hebben, dat stond vast.

Ze schrok van de gedachte dat hun mooie, smaakvolle huis verkocht zou moeten worden. En dat in een tijd dat mensen hun huis nauwelijks verkocht kregen. Of zou hij er met Eline intrekken?

Een merel zong hoog in de boom. Ze keek ernaar. Kon ik ook maar wegvliegen, dacht ze.

4

Loes keek bezorgd naar haar moeder, die zich spier-
wit weggetrokken in haar stoel liet zakken.

'Nee, Loes. Dit bestaat gewoon niet. Hoe kun je
ons zo'n boodschap komen brengen. Het is toch
niet waar, hè? Vader, vader, kom eens luisteren!'

De vader van Loes haastte zich uit de keuken,
waar hij koffie aan het zetten was, naar hen toe.

'Wat is er allemaal aan de hand. Is er iets ergs
gebeurd?'

Loes was intussen ook gaan zitten en op kalme
toon vertelde ze haar beide ouders wat haar allemaal
was overkomen.

Nu trok haar vader ook wit weg. 'Hoe kan dat
nou,' kon hij alleen maar zeggen. 'Kindje, wat verschrikkelijk. Maar er is toch hopelijk nog wel iets
aan te doen. We hebben vrijdag zo'n mooi feest
gehad. Was dat dan allemaal leugen en bedrog? Had
je daar helemaal geen idee van, Loes? Heeft Paul
geen signalen uitgezonden?'

'Nee.' Loes haalde diep adem. 'Ik ben gewoon met open ogen bedrogen. En dat feest was voor hem een mijlpaal, zei hij. Een afsluiting en een nieuw begin.'

'Maar je kunt toch zomaar na een feest ter ere van je vijfentwintigjarig huwelijk je vrouw niet dumpen. We dachten dat jullie gelukkig waren.'

'Dat dacht ik ook. Daarom is het zo'n verschrikkelijke klap. Ik heb het niet zien aankomen, geen voorgevoelens gehad, geen argwaan, helemaal niets.'

'Je weet dat God echtscheiding hekelt,' zei haar moeder.

'Maar ik kan er toch niets aan doen,' zei Loes aangeslagen. 'Ik wil helemaal niet scheiden. Ik ben bereid met hem verder te gaan, ik wil het hem vergeven. Ik wil opnieuw met hem beginnen, ik heb zelfs voorgesteld om het kind te adopteren en het samen op te voeden. Maar hij wil het niet.'

Haar vader kuchte, aangeslagen. 'Je moet gewoon de scheiding tegenhouden. Als jij daar niet in toestemt, gebeurt het immers niet.'

'Dan krijgen we eenzijdig een scheiding van tafel en bed en die gaat na een tijd over in een gewone scheiding. Hoe ik ook tegenwerk, het gaat gewoon door.'

'Wat zullen de mensen zeggen?' Haar moeder

veegde de tranen uit haar ogen.

'De mensen, de mensen, daar moet je niet zo zwaar aan tillen,' zei haar vader. 'De mensen hebben altijd wat. Ze weten hoe iedereen het beter moet doen. Gooi je problemen maar op straat en de mensen zullen het wel voor je oplossen. De mensen oordelen zo vaak zonder de achtergrond van iets te weten.'

Loes keek hem verbaasd aan. Ze had zo'n uitspraak van hem niet verwacht. Hij was meestal om dezelfde reden bezorgd als haar moeder: 'Wat zullen de mensen zeggen.'

'Ik ben blij dit van u te horen,' zei Loes. 'Dat had ik eerlijk gezegd niet gedacht.'

'Ik begrijp heus wel hoe moeilijk het voor je is.' Haar vader zuchtte diep. 'Het komt nu zo verschrikkelijk dichtbij. Het maakt je zo moedeloos om te weten dat er heel wat gekletst en geroddeld zal worden, terwijl je iets wordt aangedaan wat je helemaal niet wilt.'

'En zo is het maar net.'

'Hoe moet het nu verder?'

'Ik weet het niet,' zei Loes verdrietig. 'Ik weet het echt niet. Het is me allemaal zo rauw op mijn dak gevallen. Het is net of mijn denken helemaal is geblokkeerd. Of mijn hersens zijn leeggelopen en ik straks wakker zal worden uit een boze droom. Maar het doet ook ontzettend veel pijn dat het vijfentwintigjarig huwelijksfeest een grote komedie is geweest. Van zijn kant tenminste. Ik wist nergens van. Ik snap gewoon niet dat je dat zo kunt.'

'Ik ook niet, en ik zou het nooit hebben kunnen geloven als je hier niet zelf zat om het ons te vertellen.' Haar moeder snoot haar neus. De emoties waren op haar gezicht te lezen. 'Je mag hier wel komen logeren. Je oude kamer staat leeg. Die kunnen we gezellig maken, dan heb je even geen zorgen.'

'Dat is lief van u om aan te bieden,' zei Loes vriendelijk. 'Maar ik denk dat ik het aanbod beter kan bewaren voor later. Er zijn nu opeens zo veel zorgen en problemen. Ik kan het niet maken om hier te gaan zitten en de boel de boel te laten. Er zullen beslissingen genomen moeten worden. Ik weet ook niet wat hij achter mijn rug om al heeft afgesproken.'

'Zal ik eens naar hem toe gaan?' vroeg haar vader hoopvol. 'Misschien…'

'Alles is al voor elkaar, we staan voor een voldongen feit,' zuchtte Loes.

'Hij zal je toch niet aan je lot overlaten?' vroeg moeder zich hardop af. 'Je bent ook zo verschrikkelijk jong getrouwd. Amper twintig was je. Je hebt niet veel werkervaring en van je parttimebaantje kun je niet leven. De huren zijn hoog, het leven is duur. Je zult een volledige baan moeten zoeken.'

'We hebben het huis nog en een spaarrekening en een...'

'Hypotheek,' vulde haar vader aan.

'Jazeker, een flinke hypotheek, dus zo veel geld komt er niet uit het huis. Ik weet niet of hij het verkoopt of er met Eline in gaat wonen.'

Dit beeld maakte Loes zo van streek dat ze haar tranen niet meer kon binnenhouden. Alles was weg, alles wat ze gedaan had was tevergeefs geweest, al haar toekomstplannen waren verdwenen. Ze was afgedankt.

Haar moeder sloeg een arm om haar heen. 'Lieve kind, ik vind het verschrikkelijk voor je. Wat erg om zo aan de kant gezet te worden.'

'Ja, zo zie ik het ook,' zei haar vader. Hij ging weer terug naar de keuken om te doen waar hij mee bezig was vóórdat Loes was gekomen. Koffiezetten.

Het viel hem zwaar zijn emoties te beheersen, zag Loes. Ze had ook met haar ouders te doen. Het viel niet mee om opeens zo'n onverwachte boodschap van hun volwassen dochter te horen. En er dan ook nog eens machteloos tegenover te staan.

'De cassette met zilver krijgt hij niet,' zei Loes. 'Die krijgen jullie gewoon terug.'

'Die cassette, dat is het ergste niet.' Haar moeder wuifde met haar hand. Maar na enig nadenken zei ze toch: 'Je hebt eigenlijk wel gelijk. Daar hoeft Paul niet mee weg te lopen. Het is er maar naar of jullie overal om gaan vechten of dat jullie het in vrede kunnen regelen.'

Loes was bang dat haar ouders zouden zeggen dat het maar goed was dat er geen kinderen waren. Maar gelukkig deden ze dat niet. Dat was in al deze ellende het knelpunt. Geen kinderen kunnen krijgen maar ze wel willen hebben – om op die manier de ander af te kunnen schrijven, hoe durfde hij.

'Blijf maar eten, zo veel haast hoef je niet te hebben om terug te gaan.'

Loes knikte.

Het kwam haar wel uit, even niet te bedenken wat ze moest klaarmaken. Paul zou waarschijnlijk toch niet thuis zijn. Ze begreep dat er goede afspraken gemaakt moesten worden.

Maar haar hoofd was nog zo in de war dat ze op dit moment door de bomen het bos niet meer kon zien. Hoe deden andere vrouwen dat die opeens zo'n boodschap kregen? Ze had zich er nooit in verdiept, want een echtscheiding was wel het laatste waaraan ze dacht.

Ze at met lange tanden, hoezeer haar moeder ook vond dat ze meer moest eten.

'Je moet goed voor jezelf zorgen, want er staat je nog heel wat te wachten,' drong ze vriendelijk aan. 'Kom maar gewoon iedere dag bij ons eten. Ik zal erop rekenen. Alleen als je niet komt, bel dan van tevoren even.'

'Ik heb helemaal geen trek. Mijn maag zit vol met spanning. Na een paar hapjes zit ik vol.'

'Dat komt wel weer.' Haar vader klopte zacht op haar hand. 'Dat je nu tegen eten aan zit te hikken, is heel normaal.'

'Weet je wat ik eigenlijk zou willen?'

'Nee.' Twee paar ogen keken haar aan boven de borden.

'Met Eline praten.'

'Zou je dat wel doen? Ik denk dat je er niet veel mee zult opschieten.'

'Misschien wordt het me duidelijker als ik haar eens spreek.'

'Ik denk dat er niet veel zal veranderen,' meende haar moeder. 'Als die zwangerschap er niet was, lagen de zaken beslist anders, maar nu zul je je er wel bij moeten neerleggen.'

Maar het bleef Loes maar door het hoofd spoken om het laatste te doen dat ze in deze omstandigheden nog zou kunnen doen. Ze begon uit te zoeken waar Eline woonde en reed een keer door de straat om Elines woning te bekijken.

Toen Paul voor zaken de stad uit was, had ze genoeg moed verzameld om naar haar toe te gaan. Ze parkeerde haar autootje twee straten verder en ging het laatste stukje te voet.

Ze moest lang wachten nadat ze op de bel had gedrukt. Maar de deur ging open en een klein, slank vrouwtje keek haar aan. 'Ja?' zei ze, maar toen herkende ze Loes en wilde ze de deur weer sluiten.

'Mag ik even binnenkomen?'

'Wat wilt u van me?'

'Gewoon, even praten.'

'Daar voel ik niet zo veel voor,' aarzelde Eline.

'Maar ik wel. Gewoon even praten, zoals ik al zei. We houden toch allebei van dezelfde man, dus we hebben veel gemeen, zou ik zo zeggen.'

'Nu ja, komt u dan maar binnen.' De deur ging verder open.

Eline ging haar voor naar de huiskamer. Loes keek nieuwsgierig rond om de sfeer te proeven. Het was er knus, met veel planten en bloemen, een houten vloer en kinderspeelgoed in een felgekleurd krat.

'Gaat u zitten.'

'Zeg maar jij, hoor. Ik heet Loes en jij bent Eline.'

Een kort knikje was het antwoord.

De zenuwen knepen Loes de keel dicht en haar hart bonsde onregelmatig. Ze kon met moeite de venijnige woorden binnenhouden die in haar opborrelden.

'Waarom, Eline?' kreeg ze er ten slotte uit. 'Waarom heb je mijn man van me afgenomen? Waarom heb je hem verleid?'

Het gezicht tegenover Loes werd vuurrood. 'Dat heb ik niet gedaan! Het is helemaal van Paul uit gegaan.'

'Als je iets echt niet wilt, dan gebeurt het ook niet. Dan begin je daar niet aan. Maar je hebt ermee ingestemd, want je bent zwanger.'

'Hij wilde zo graag kinderen en jullie konden ze niet krijgen. Dat heeft hij lang weggestopt, maar toen hij met m'n zoontje kennismaakte, besefte hij wat hij miste.'

'Zomaar opeens?'

'Ja, dat zei hij.'

'En dan geef je gelijk toe?'

'Eigenlijk stelde jullie huwelijk niet zoveel meer voor, vertelde hij. Jullie waren helemaal uit elkaar gegroeid.'

'Nu nog mooier,' wond Loes zich op. 'Daar heb ik nooit iets van gemerkt. Dat is een grote leugen. Dan is hij een buitengewoon goede toneelspeler geweest.'

'Heeft hij er nooit over gepraat?'
'Nee, nooit.'
'Hij zei van wel.'
'Ook niet waar.'
'Dus jullie hadden helemaal geen plannen om te scheiden?'
'Nee, Eline. En ik zal je dit vertellen: ik ga zomaar niet scheiden. Ik zal me met hand en tand verzetten en het hem zo moeilijk maken als ik kan.'
Loes zag bij Eline de tranen in de ogen springen. Maar ze voelde geen medelijden. Je ging toch niet met een getrouwde man naar bed omdat hij een kind wilde. Stel je voor dat iedereen dat deed.
'Ik denk dat hij jou heel mooie verhalen heeft verteld en je van alles heeft wijsgemaakt. Maar je bent wel vlug overstag gegaan,' zei Loes met een diepe zucht.
'Ik werd verliefd op hem. Hij was zo lief en zo zorgzaam. Dat ben ik niet gewend. Ik ben al jaren alleen en dan hunker je naar liefde en aandacht.'
'En dat gaf hij je?'
'Ja.'
'En wat zou je nu willen?'
'Dat hij met me trouwt.'
'Juist, maar hij is toevallig getrouwd met mij.'
Eline keek haar aan, maar zei niets.
'Je moet dus eerst iemand afdanken en dan ga je

met frisse moed weer verder? Maar ik heb er helemaal geen zin in om afgedankt te worden. Ik wil de verliezer niet zijn. Vijfentwintig jaar heb ik zijn bed gedeeld, zijn kleren gewassen, zijn eten gekookt. Ik heb het huis verzorgd, en trouwens, ik houd van hem, dus ik wil gewoon bij hem blijven.'

Eline frommelde nerveus met haar vingers. 'Ik begrijp wel dat je dat allemaal wilt, maar zou je dan verder willen leven met een man die van een ander houdt? Die verliefd is geworden op de vrouw die een kind van hem verwacht? Is dat wat je voor ogen staat, Loes?'

'En als we het kind zouden adopteren?'

Eline legde haar handen om haar buik. 'Stel je voor. Hoe kom je op dat absurde idee? Heb je het daar met Paul over gehad?'

'Ja, dat heb ik hem voorgesteld.'

'En wat zei hij?'

'Dat het een idioot plan is.'

'Nou dan!' Er klonk iets triomfantelijks in haar stem. 'Dan weet je toch gelijk waar je aan toe bent. Hoe kom je erop, belachelijk gewoon.'

Uit wanhoop, dacht Loes. Uit wanhoop, omdat heel mijn wereld in elkaar stort. Omdat ik niet weet hoe ik verder moet.

Maar dit wilde ze niet tegen Eline zeggen, dat kon ze gewoon niet.

'Het ís ook moeilijk,' zei Eline.

'Hoezo?'

'Nou, als jullie een huurhuis zouden hebben, kon Paul de huur opzeggen en bij mij intrekken. Maar jullie hebben een koophuis.'

'En de helft daarvan is van mij.' Loes besefte dat een eigen woning ook een beletsel kon zijn om niet zomaar te scheiden.

'Ja, dat weet ik.'

Loes stond op. Ze zou op dit moment wel honderd hatelijke dingen kunnen zeggen. Ze moest zich geweldig inhouden. Wat had ze eraan om een rel te schoppen en iedereen van streek te maken.

'Ik kom er wel uit,' zei ze terwijl ze naar de voordeur liep. Verblind door tranen zocht ze naar de kruk.

Even later liep ze buiten. De zon scheen helder en het licht viel, gefilterd door de bomen, op de straat. Maar vanbinnen was alles donker bij haar.

'Ik had nooit naar Eline toe moeten gaan,' zei ze hardop tegen zichzelf terwijl ze naar haar auto zocht.

5

Ze sliep die nacht bij haar ouders in de logeerkamer. Ze had thuis een klein koffertje ingepakt en was naar haar ouderlijk huis gegaan omdat ze totaal in de war was geraakt van het gesprek met Eline. Ze voelde zich alleen en verlaten nu alles zo dichtbij was gekomen door haar bezoek. Ze had spijt dat ze het had gedaan, maar haar vader zei dat hij het buitengewoon dapper van haar vond dat ze de confrontatie had aangedurfd.

Ze besefte wel dat ze, als een kind, troost bij haar ouders zocht. Ook al was ze vijfenveertig jaar.

Nu was het haar moeder die zei dat zoiets heel normaal was. Zolang je nog ouders had, was je kind. Welke leeftijd je ook had.

Haar moeder had de logeerkamer in orde gemaakt. Het was de kamer die ze vijfentwintig jaar geleden had verlaten en die haar moeder nog altijd 'de kamer van Loes' noemde.

De kamer van haar oudere zus Hanna was werken knutselkamer geworden. Maar haar zus was al zo lang weg.

'Nu kan het nog, Loes,' zei haar moeder vriendelijk. 'We willen graag kleiner gaan wonen, dan hebben we waarschijnlijk geen ruimte meer.'

'Ik zal ook een huis moeten zoeken, al weet ik nog helemaal niet hoe of wat.' Ze moest er niet aan denken.

Toch lag ze de hele nacht te tobben en te piekeren. Vooral nu de sfeer van haar meisjeskamer helemaal om haar heen was. Het was of ze terugging naar haar tienertijd. Haar schooltijd, haar examens. En later, toen ze verkering kreeg met Paul. Wat was ze verliefd geweest en wat had ze naar het huwelijk uitgekeken. Altijd samen te zijn, alles te delen, het had haar een sprookje geleken. Maar er was geen 'en ze leefden nog lang en gelukkig'. Samen oud worden zat er niet in. Je was zo verschrikkelijk weerloos als verlaten vrouw. Voor een man ging het leven gewoon door. Als vanouds. Maar een vrouw bleef met de brokken zitten. Eigenlijk hield ze niets over. Geen inkomen, geen huis – wie hield rekening met het feit dat zoiets je kon overkomen? Vooral als je geen signalen had opgevangen.

Ze wist wel dat ze niet de enige was die dit overkwam. Honderden vrouwen werden zomaar opeens verlaten. En dan waren er in de meeste gevallen kinderen die in de knel kwamen.

De ene week hier en de andere week daar; die arme schapen werden als pionnetjes heen en weer geschoven. Enfin, dat was bij hen niet aan de hand. Dat was dan het enige voordeel bij haar nadeel. Ze zag de toekomst als een donker gat. Hoe kon het voor haar ooit weer een beter leven worden?

Ze werkte één dag in de week bij het plaatselijke reisbureau. Maar daar kon je toch niet van leven? En het dagdeel dat ze in de Wereldwinkel stond, was vrijwilligerswerk. Daar stond geen vergoeding tegenover.

Ze dacht aan haar ouders, die bij verdriet of tegenslag altijd konden bidden. Maar zij kon dat niet. Willens en wetens had ze de kerk achter zich gelaten.

Ze vond dat het niet paste als ze opeens wel ging bidden. Ze dacht dat ze het niet kon maken om God om hulp te roepen in haar moeilijkheden.

Ze zag iedere keer de zonnige kamer van Eline op haar netvlies, met bloemen en planten en kinderspeelgoed.

De volgende morgen kwam ze, gebroken door de slapeloze nacht, aan het ontbijt.

'Wilde je misschien nog wat blijven liggen?' vroeg haar moeder, die schrok van haar grauwe gezicht en haar rode, gezwollen ogen.

'Alsjeblieft niet. Ik heb geen oog dichtgedaan, de nacht was al lang genoeg,' zei ze lusteloos.

'Och kind, ik had je een paar tabletjes melatonine moeten geven.' Haar moeder stond op en haalde uit de kast een plastic potje met heel kleine tabletjes. 'Het zijn heel onschuldige dingen, maar je valt er makkelijk door in slaap.'

Ze gaf het potje aan Loes. 'Hier, steek maar in je tas, dan heb je het bij de hand om te gebruiken.'

Loes bekeek de tabletjes. 'Dank je wel, het lijkt me een goed idee. Ik neem liever geen slaaptabletten in want daar word je zo suf van, dus ik zal deze graag eens proberen.'

'Daar zul je geen spijt van krijgen. Trouwens, de verzekering vergoedt geen slaaptabletten meer. Je moet ze zelf betalen én een recept van de huisarts hebben,' zei haar vader, die zich altijd nogal snel opwond over wat de ziektekostenverzekering zich permitteerde tegenover haar cliënten.

'Eet eerst maar eens lekker,' zei haar moeder hartelijk terwijl ze op de welvoorziene ontbijttafel wees. 'Je moet goed voor jezelf blijven zorgen,' vervolgde ze, 'anders kun je alle problemen op den duur niet meer aan. Hoe is het met je hulp Betty, komt die je nog helpen?'

'Ik heb haar hulp op moeten zeggen.' Loes pelde

bedachtzaam haar eitje. 'Ze vond het heel erg, maar ze snapte het gelukkige wel. Paul is eigenlijk zo'n beetje bij Eline ingetrokken en ik heb helemaal geen zin om een huis te poetsen of te laten poetsen waar ik straks word uitgezet.'

'Ja, dat kan ik begrijpen. Maar hij kan je toch niet zomaar op straat gooien! Je moet je laten inschrijven bij de woningbouwvereniging. Dat zou ik eerst maar doen.'

Loes haalde diep adem. 'Ja, dat zou ik wel kunnen doen, maar dan is het opeens zo definitief. Je weet toch nooit wat er misschien nog zal gebeuren.'

'Je bedoelt dat het nog goedkomt?'

'Ja!'

'Maar Loes, zo'n man wil je toch niet meer terug. Hij heeft je bedrogen met een andere vrouw. En dan heeft hij je flink voor gek gezet door een dag na je vijfentwintigjarig huwelijk te vertellen dat hij een ander had. Nee,' zei haar moeder. 'Ik zou hem maar uit mijn hoofd zetten, daar ben je alleen maar beter mee af.'

'Maar als je zo opeens je man verliest, terwijl je niks in de gaten had, dan is dat een grote klap. Je kunt niet plotseling ophouden met liefhebben.'

'Zou het niet beter zijn als je er eens even uit ging,' stelde haar vader voor.

'Waarnaartoe dan?'

'Naar Hanna bijvoorbeeld, in Dubai. Zij en haar man hebben het je vaak gevraagd, maar je bent er nog nooit geweest.'

'Ik kan toch zomaar niet naar Hanna en Bert vertrekken, terwijl hier nog niets geregeld is. Nee, dat doe ik niet. Paul heeft al een advocaat ingeschakeld, dus er valt in de komende tijd nog heel wat te bepraten. Als dat allemaal achter de rug is, is het misschien wel fijn om eens naar mijn zuster te gaan en daar mijn wonden te likken.'

Loes was diep in haar hart heel blij dat ze haar ouders nog had en dat die zo hartelijk en bezorgd waren. Ze besloot om, als het ter sprake kwam en haar ouders vroegen of ze met hen mee naar de kerk ging, daar positief op in te gaan. Ze was toch voor haar huwelijk ook altijd trouw gegaan. Het was door Paul gekomen dat ze niet meer ging.

Ze had het zo vaak gezien en nu had het haarzelf getroffen. Het meisje dacht dat ze haar verloofde kon veranderen en van hem een trouwe kerkganger kon maken. Maar dat lukte bijna nooit. Vóór het huwelijk beloofde de jongen alles, maar als ze dan eenmaal getrouwd waren, kwam hij zijn belofte niet meer na.

Haar mobiel ging. Ze pakte hem op en zag dat het Paul was.

Hij meldde dat hij de vorige dag bij de bank was geweest om te bespreken of hij een hogere hypotheek kon krijgen. Als ze vandaag naar huis zou komen, konden ze samen overleggen hoe het verder moest.

'Hoe bedoel je dat?' vroeg ze verbaasd. Want ze besefte echt niet wat de echtscheiding met de hypotheek te maken had. Dom natuurlijk, want toen hij het uitlegde, zei ze: 'O, ja!'

Paul wilde een hogere hypotheek om haar uit te kunnen kopen.

'Dat moet dan maar,' zei ze gereserveerd. Ze kon nu wel haar ogen sluiten en net doen of er niets aan de hand was, maar ze was toch volwassen genoeg om haar verantwoordelijkheid te nemen.

Alle financiële gegevens zouden op tafel gelegd worden en daar moesten ze overeenstemming over bereiken in een echtscheidingsconvenant. Dat zou de makkelijkste weg zijn, daar was ze al achter gekomen.

Als ze overal ruzie over zouden maken, dan werd de echtscheiding hoe langer, hoe duurder, en zou de rechter een wettelijke verdeling moeten maken.

Maar ze wilde helemaal niet scheiden, ze wilde niet verlaten worden.

Ze was moe van het onregelmatige leven dat ze op dit moment leidde en van de slapeloze nachten.

'Na het avondeten dan, om een uur of halfacht,' zei ze.

Ze sloot het gesprek af. Haar ouders vroegen niet waar het over ging, dus vertelde ze het uit eigen beweging.

'Hij is keihard,' zei haar moeder. 'Hoelang heeft hij hier al mee rondgelopen voor de aap uit de mouw kwam?'

'Heel lang,' meende Loes, 'Eline is al ruim drie maanden zwanger, dus tel er maar een halfjaar bij. Zeker.'

Ze stopte haar mobieltje weer in haar tas. 'Ik begin echt van hem te walgen. Heeft hij eigenlijk ooit wel van me gehouden?'

'Ieder huwelijk heeft weleens moeilijke tijden,' meende haar vader. 'Het is dan wel de bedoeling daar iets aan te doen. Relatietherapie, of wat dan ook. Je moet het er bij de eerste de beste tegenslag niet bij laten zitten. Scheiden lost geen problemen op. Je kunt beter proberen of het huwelijk hersteld kan worden.'

'Maar wij hebben helemaal geen problemen gehad. Er waren geen ruzies of scheldpartijen. Nou ja, je bent niet meer zo verliefd als vijfentwintig jaar geleden. Het is rustiger, stabieler, dat denk je ten-

minste. Maar hij heeft zich niet bij onze kinderloosheid kunnen neerleggen. En daarom voel ik me
soms schuldig.'

'Je hoeft je niet schuldig te voelen, Loes. Niemand kan hier iets aan doen. Als het aan hem gelegen zou hebben dat jullie geen kinderen konden
krijgen, zou je hem dan ook zomaar verlaten hebben?'

'Dat denk ik niet. Paul heeft wel alles tegenge-
houden. Hij wilde geen adoptie. Hij wilde niets. Het
kind moest van hemzelf zijn. Nou, dat heeft hij dan
nu mooi voor elkaar.'

Loes voelde de boosheid in zich opwellen. Ze was
zo overrompeld door alle omstandigheden, zo
teleurgesteld als ze nog nooit was geweest.

En dat gevoel raakte ze de hele dag niet kwijt.

Om halfacht was ze, zoals ze hadden afgesproken,
thuis. Ze was er iets eerder dan Paul. In die tijd gaf
ze de planten water en bekeek ze de post. Met inten-
se weemoed besefte ze dat ze dit alles zou moeten
verlaten, en dat deed pijn.

Om kwart voor acht stopte Paul bij de voordeur.
Ze deed niet open, dat moest hij zelf maar doen.

'Hoe gaat het met je?' vroeg hij bij zijn binnen-
komst.

'Slecht. Had je iets anders verwacht dan?'

'Nou nee, ik snap het wel.'

'Dat valt me dan weer van je mee, want ik snap niets van jouw handelswijze. Weet je echt zeker, Paul, dat je weg wilt gaan? Is er geen enkele mogelijkheid dat het weer goedkomt?'

Hij schudde langzaam zijn hoofd. 'Nee, Loes, leg je er alsjeblieft bij neer. Liefde kun je niet dwingen.'

'Heb je wel echt van me gehouden, of heb je maar gedaan alsof?'

'Natuurlijk heb ik echt van je gehouden. Maar ik had zo graag een zoon willen hebben waarmee ik kon voetballen, die ik kon leren fietsen. Of een dochter, met een strikje in haar haren, die leuke jurkjes droeg, met bloemetjes en strookjes. Dat heb ik zo gemist. En toen ik Eline zag met haar zoontje, wilde ik dat ook.'

'Dat krijg je dan nu,' zei ze vinnig.

'Inderdaad.'

'Waar wilde je me over spreken?'

Paul deed zijn aktetas open en legde een stapel papieren op de tafel. 'Om te beginnen ben ik bij de bank geweest. Om over de hypotheek te praten.'

'Ons huis heeft toch overwaarde?' wist Loes.

'Juist, en daarom kon ik een hogere hypotheek krijgen. Dan kan ik jou de helft van het huis uitbetalen. Met dat geld kun je dan iets anders huren en jezelf inrichten.'

'En jij dan?'

'Ik blijf hier wonen en Eline trekt hier in. Misschien zou je in haar huurhuis kunnen.'

Loes keek hem verbijsterd aan. 'Ben je nu helemaal gek geworden! Je gelooft toch zeker niet dat ik in dat huis ga wonen? Nog voor geen honderd miljoen. Daar heb je overspel gepleegd, daar lig je met Eline in bed, ik moet er gewoon niet aan denken.'

'Maar het meubilair hier moet ook verdeeld worden,' zei hij.

'Paul, je mag het meubilair helemaal lekker zelf houden. Je betaalt me de waarde maar uit die ik anders in meubels zou krijgen. Ik wil het theekastje dat ik van mijn oma heb geërfd, mijn bureautje en verder nog wat persoonlijke dingen meenemen. Maar dat is dan ook alles. En de cassette met zilver is al bij mijn ouders terug. Die telt niet mee in het geheel. Daar kan ik nu eens opnieuw mee beginnen.'

'Dat kan ik wel begrijpen,' zei hij, alsof hij met moeite afstand van iets moois deed.

Het maakte Loes nog bozer dan ze al was. Maar ze dwong zich tot kalmte en probeerde zich in te houden.

'Was er nog meer van je dienst?' vroeg ze ten slotte.

'We moeten het hier dus over eens worden. Het huis wordt getaxeerd en daarna kunnen we vaststellen wie wat krijgt.'

'En dan sta ik gewoon op straat.'

'Natuurlijk niet. Was je nu wel of niet naar de woningbouwvereniging geweest?'

'Ik ga morgen, wees maar gerust.'

'Je moet natuurlijk wel een beetje haast maken. Tenslotte ben je ook een urgent geval.'

'Ja, maar dat is niet mijn schuld.'

'Zoek dan alvast de spullen bij elkaar die je graag wilt meenemen, Loes. Dan kun je die mee naar je ouders nemen.'

'Dat doe ik niet. Ik neem niets mee naar mijn ouders. Stel je voor. Nee, ik blijf gewoon hier. Ik ga pas weg als ik andere woonruimte heb.'

Hij wilde iets zeggen, maar deed het niet. Alleen een diepe zucht was het resultaat van zijn ongenoegen.

Toen hij later wegreed, keek Loes de auto na. Hij trok hard op, zodat het grind opspatte.

Het was een verloren zaak. Ze voelde zich eindeloos verlaten.

6

Het viel Loes buitengewoon tegen bij de woning-bouwvereniging. Daar zaten ze echt niet op haar te wachten en er waren geen woningen waaruit ze kon kiezen. Ze had zich hier nooit in verdiept. Als je een koophuis had, en voor je eigen idee een goed huwelijk, kwam de gedachte aan een huurhuis toch niet in je op.

Ze vulde de papieren in en betaalde het inschrijf-geld. Ze kwam nu op de lijst. Helemaal onderaan. Het huizenaanbod kwam in de huis-aan-huiskrant en op internet te staan en daar kon ze dan op inschrijven. Maar het zou wel even duren.

'Is de scheiding al uitgesproken?' vroeg de medewerkster aan de balie.

'Nee, nog niet, mijn man is er mee bezig. Het was niet mijn idee,' zei Loes.

'Dan kunt u toch voorlopig in uw huis blijven. Zolang u niet op straat staat, bent u voor ons nog niet urgent. U woont in een mooie buurt, mevrouw, zoiets krijgt u nooit meer. U zou beter eens in de particuliere sector kunnen zoeken.'

'Bij wie moet ik dan zijn?'

'Bij een makelaar. U kunt een advertentie in de krant zetten of de aanbiedingen nakijken. Misschien heeft u daar vlugger succes. Dat heb ik vaak gezien. Ik kan het u aanbevelen.'

'Dat zal ik doen.' Loes zag het wat lichter in.

Vanaf die dag speurde ze naarstig de advertenties na. Maar erg veel makkelijker maakte dat het er niet op. Of het was te duur, of het was een achterstandswijk, of het huisje stond op een bungalowpark en mocht niet permanent worden bewoond.

'Paul moet ook maar eens zoeken,' vond haar vader. 'Hij heeft dit allemaal veroorzaakt, hij kan je niet zomaar afschepen.'

Dus belde Loes hem met de mededeling dat hij ook z'n best maar eens moest doen. Tot haar verbazing stemde hij toe. Hij kende nogal wat mensen in de zakenwereld, daar zou hij zijn licht wel eens opsteken.

Hij snapte zelf ook wel dat alle dingen pas goed geregeld konden worden als er voor Loes woonruimte beschikbaar zou zijn. Maar zelf moest ze op internet zoeken, raadde hij aan. Een huis kwam je zomaar niet aangewaaid.

Die zondag was ze bij haar ouders en toen kwam hun vraag of ze eens mee naar de kerk wilde gaan.

Loes dacht na. Een tijdje geleden had ze voor zichzelf besloten dat te doen. En ze kon natuurlijk niet verwachten dat haar ouders altijd maar opnieuw voor haar zouden klaarstaan, terwijl zij nooit een stapje in hun richting wilde doen.

'Goed, één keer dan. Alleen de morgendienst,' zei ze.

'Dan moet je je maar vlug aankleden,' zei haar moeder, want Loes liep nog in haar nachtgoed. 'De kerk begint om tien uur.'

'Dat kan nog makkelijk, ik ben zeker op tijd klaar,' stelde Loes haar gerust.

Ze had die nacht in haar ouderlijk huis geslapen, want af en toe had ze echt genoeg van het grote, eenzame huis waar ze de hele nacht lag te piekeren.

Ze was al zo verschrikkelijk lang niet in de kerk geweest, ze zou helemaal moeten wennen.

Ze waren op tijd klaar en liepen met z'n drieën naar de kerk, die maar een paar straten verder was. Ze werden in het portaal hartelijk begroet door de koster. De plaatsen waren vrij, dus ze konden gaan zitten waar ze wilden.

'Toch zitten we bijna iedere zondag op dezelfde bank,' zei haar vader. 'Je went gewoon aan je kerkplek.'

Loes kende bijna niemand meer. Er was bijna een hele generatie opgegroeid, die nu de middenmoot van de kerk omvatte. Sommige van de oudere mensen herkende ze nog wel. Ze liet haar ogen door de kerk dwalen. De witte muren, de stenen pilaren, de kroonluchters: hier had ze in haar jeugd altijd gezeten. Voorin, bij de preekstoel, had ze gestaan toen ze belijdenis deed.

Wat was dat lang geleden.

De kerkenraad kwam binnen en de dominee betrad de preekstoel. Het was een nog jonge man. Loes had haar ouders weleens over hem horen vertellen, maar ze kende hem verder niet.

Ze zong mee met de aloude, haar bekende psalmen waarvan ze er nog vele uit haar hoofd kende. Dat was het resultaat van de lagere school, waar iedere week een psalmvers uit het hoofd werd geleerd. Dat moest je op maandagmorgen perfect op kunnen zeggen. Je kreeg er zelfs een rapportcijfer voor.

Nu merkte ze dat de geleerde verzen vanuit de diepte van haar brein weer naar boven borrelden, en dat voelde prettig aan. De predikant had een serie preken gemaakt over de brief van Paulus aan de Romeinen en de tekst voor die morgen bestond uit Romeinen 8 vers 35.

'Wie zal ons scheiden van de liefde van Christus.'

Hij legde uit dat de liefde van God voor de mensheid bestond uit het zenden van Zijn Zoon naar de aarde. En dat het offer van Christus, Zijn lijden en sterven aan het kruis, bestemd was voor degenen die in Hem geloofden. Dat men eerst in de schuld moest komen voor God, want zonder zondekennis is er geen vergeving. Maar God zou nooit een mens wegsturen dat met oprecht berouw tot Hem kwam.

Loes luisterde geboeid. Die woorden had ze al lang niet meer gehoord.

Ze had nooit zoveel stil gestaan bij het gegeven van zonde, schuld en verlossing. Als je maar goed je best deed alles naar de achtergrond te verdringen en te leven precies zoals je zelf wilde, gleed je hoe langer hoe verder af. Dan had je als het ware oogkleppen op. Je voelde de noodzaak van bekering niet meer.

Het grootste struikelblok had ze altijd gevonden dat bekering door God gegeven moest worden. Dan was je uitverkoren, dat was genade van God. Maar als je niet bekeerd werd, was dat je eigen schuld. De discrepantie van dat alles had ze nooit gesnapt. Hoe kon je nu schuldig zijn aan iets waar je niets aan kon doen? Dat onderwerp was vaak aan de orde geweest tijdens de belijdeniscatechisatie en de dominee was altijd bereid om erover te praten.

Maar hij had ook gezegd dat de uitverkiezing door de gelovigen achteraf als een groot wonder werd gezien. Want het was de poort waar ze doorheen waren gegaan en niet het struikelblok dat ze verwacht hadden.

Aan het einde van de dienst bad de gemeente samen het Onzevader en Loes kon het feilloos meebidden.

Ze besloot dat het niet de laatste keer zou zijn dat ze naar de kerk ging. Misschien kon ze daar het houvast vinden dat ze zocht.

Het orgel speelde een bekend gezang toen ze samen met de kerkmensen naar de uitgang liep.

Loes deed een stap naar voren, maar opeens werd alles zwart om haar heen en stapte ze in een diep, donker gat.

Toen ze haar ogen weer opendeed, lag ze languit op een kerkbank en zag ze allemaal verschrikte gezichten boven zich. Ze probeerde te gaan zitten. 'Wat is hier toch aan de hand?' vroeg ze verbaasd.

'Voorzichtig, voorzichtig, niet opeens gaan staan. Blijf zitten,' zei een bekende stem. Ze herkende haar moeder en ze schaamde zich voor de opschudding die ze teweeg had gebracht.

Ze knipperde met haar oogleden en zuchtte een paar keer diep. 'Nou zeg, nu ga ik een keer met jullie mee en dan ga ik van mijn stokje.'

De koster had snel een glas water voor haar gehaald, dat ze dankbaar leegdronk.

'Het gaat wel weer, denk ik,' zei ze, en ze hees zich omhoog aan de kerkbank.

'Zullen we u even met de auto thuisbrengen?' vroeg een onbekende mevrouw haar vriendelijk, maar Loes schudde haar hoofd.

'Het is maar een heel klein stukje lopen en dat gaat heus wel. Maar bedankt voor uw aanbod.'

Samen liepen ze naar huis. Loes knapte gelijk op van de frisse buitenlucht. 'Zoiets heb ik nog nooit meegemaakt,' zei ze, een beetje verbaasd over wat haar opeens was overkomen.

'Het komt allemaal door de stress van de laatste tijd,' meende haar moeder. 'Het is ook niet niks wat er allemaal is gebeurd. Het is zo plotseling en zo heftig.'

Loes knikte. 'Maar daarom hoef je nog niet flauw te vallen.'

'Misschien adem je verkeerd,' zei haar vader. 'Als ik jou was, ging ik toch eens langs de huisarts.'

Loes trok haar wenkbrauwen op. 'Ik ben niet het type dat snel naar een dokter gaat. Je gaat toch niet voor ieder wissewasje naar het spreekuur?'

Maar toen ze de volgende morgen uit haar bed

stapte, sloeg ze weer tegen de vlakte. Ze snapte nu wel dat dit niet gewoon was.

De dokter vond het ook niet normaal. Hij nam haar bloeddruk op en keek of ze geen bloedarmoede had, maar hij kon niets verontrustends ontdekken. Hij vroeg of er bijzondere dingen waren gebeurd en Loes vertelde in het kort wat er allemaal aan de hand was.

De huisarts keek haar meelevend aan. 'Dat is niet mis, mevrouw Verlinden, zo'n klap komt heel hard aan. Ik denk inderdaad dat u helemaal verkeerd ademt, maar ook dat u uw adem te lang inhoudt.'

'En wat zou ik daaraan kunnen doen?' vroeg Loes, die helemaal opgelucht was dat er geen ernstige dingen aan het licht waren gekomen. Want ze had gedacht dat haar hart misschien niet goed werkte of dat er iets met haar longen was.

'Ik zal u doorsturen naar de fysiotherapeut om uw ademhaling onder controle te krijgen. U moet met uw buik ademen en niet helemaal boven in uw borstkas.'

'Kunt u mij iemand aanbevelen?' vroeg Loes, omdat haar zo gauw geen naam van een fysiotherapeut te binnen wilde schieten.

De huisarts schreef een adres op een briefje. 'Ga daar maar eens heen. En wat het andere betreft, mevrouw: veel sterkte. Probeer opnieuw te beginnen. Als u wilt, kunt u een tijdje meedraaien in een praatgroep van gescheiden mensen.'

'Dan moet ik iedereen vertellen wat er aan de hand is,' schrok Loes. 'Daar voel ik niet zo voor. Dan heb je helemaal geen privacy meer, want er zal altijd van alles worden doorgekletst. Die kent die, en zo ga je bij de mensen over de tong.'

'Ze zitten allemaal in hetzelfde schuitje,' zei de huisarts meelevend. 'En niemand zit erop te wachten om de vuile was buiten te hangen. Trouwens, als je met zo'n groep meedoet, moet je een papier tekenen waarmee je geheimhouding belooft.'

'Ik moet daar eens rustig over nadenken,' meende Loes. 'Dat mag toch wel, hoop ik.'

'Natuurlijk. Er is helemaal niets verplicht.' Hij stak zijn hand uit. 'Veel sterkte, en als u geen verbetering merkt, dan maakt u opnieuw een afspraak.'

'Dat is goed, dokter.'

Even later liep ze buiten met het papier met het adres in haar hand. Wat nu?

Ze besloot langs de fysiotherapeut te rijden. Misschien kon ze een afspraak maken om er op korte termijn met de behandeling te beginnen.

Het adres was niet ver bij haar huis vandaan. Ze had nooit geweten dat ze zo dicht in de buurt van een fysiotherapeut woonde.

Ze zag het bordje van de praktijk aan de muur van een woonhuis. O, het was iemand die zijn beroep aan huis uitoefende. Het was een vrouw die de praktijk runde. Een leuke, jonge vrouw met een blonde paardenstaart. Ze liet net een patiënt uit toen Loes het tuinpad op liep. Loes vertelde waar ze voor kwam. 'Ik had een man verwacht,' zei ze.

De ogen van de jonge vrouw werden een beetje glazig na deze opmerking. Loes zag het en voegde eraan toe: 'Maar dat geeft niks, hoor. Ik heb evenveel vertrouwen in een vrouw.'

'Dat is het niet,' zei de vrouw met een snik. 'Sorry. Ik kan het soms niet tegenhouden.'

'Wat is er aan de hand?'

'We hebben altijd met z'n tweeën gewerkt. We zijn ook samen begonnen. Maar hij is bij een auto-ongeluk omgekomen.' De vrouw veegde de tranen uit haar ogen en zei: 'Toe, kom verder, we staan hier zo half in huis en half op de stoep.'

Overweldigd door deze heftige binnenkomer liep Loes mee naar binnen, waar ze het gesprek voortzetten. Loes vond het vervelend dat ze zo'n gevoelige snaar bij de ander had geraakt, dus hield ze het een beetje zakelijk tijdens de rest van het gesprek.

De vrouw heette Mieke Zwaan, en natuurlijk had zij een plaatsje om Loes te behandelen. 'Sorry dat ik even van slag was. Het is nog maar een jaar geleden.'

'Dat geeft helemaal niets. Ik begrijp als geen ander wat het is om van slag te zijn, en ik heb nog niet eens de helft meegemaakt van wat jij moet doorstaan.'

Toen Loes een tijdje later wegreed met een afsprakenkaartje in haar tas, voelde ze alleen maar medelijden met de zwaar getroffen therapeute.

Wat is het leven toch ingewikkeld, dacht ze. Achter iedere voordeur schuilt verdriet.

7

Het klikte goed tussen Loes en de therapeute. Ze wilde dat Loes haar gewoon met Mieke aansprak.

'Ik ben nog jong,' zei ze, 'en ik vind dat 'mevrouw' zo plechtig en afstandelijk klinken.'

'Nou, zeg dan ook maar Loes, dat is dan wel zo makkelijk.'

Loes bedacht dat ze nu nog Verlinden heette, maar dat ze binnen korte tijd weer haar meisjesnaam zou dragen, en dat zou alleen maar verwarring scheppen.

Ze zou daar helemaal aan moeten wennen. Loes Verlinden werd weer Loes de Greef. Het zou toch veel makkelijker zijn als iedere vrouw gewoon de naam hield die ze bij haar geboorte bij de burgerlijke stand had gekregen. Die veranderde nooit. Ze kende iemand die lange tijd bekend was onder de naam van haar man. Toen ze weduwe werd, gebruikte ze haar eigen naam weer. Later trouwde ze opnieuw en toen heette ze weer als haar tweede man. Wie ben je dan eigenlijk? Maar goed, dat moest iedereen voor zichzelf weten. Zij zou in elk geval blij zijn haar meisjesnaam terug te hebben.

Het bleek voor Loes heel moeilijk om zich goed te ontspannen. Ze ademde niet goed en ze liep heel de dag met hoog opgetrokken schouders.

'Ik ben vaak ook heel erg benauwd,' legde Loes uit. 'Dan kan ik niet doorademen.'

'Allemaal stress. Je hebt heus geen akelige ziekte of iets dergelijks. Maar je bent heel gespannen.'

Loes vertelde Mieke in het kort wat er de laatste tijd allemaal was gebeurd. Vanaf het vijfentwintigjarig huwelijksfeest tot aan het flauwvallen in de kerk.

'Ik schaamde me zo, het kwam zo onverwacht. Ik had helemaal niet in de gaten dat ik het allemaal zo verkeerd deed.'

'Het is niet niks wat je hebt meegemaakt,' vond Mieke. 'Bij zulke dingen gaat altijd het lichaam reageren als de geest overbelast is. De spanning moet ergens heen. Het zou goed voor je zijn om te wandelen. Of iedere week een uurtje zwemmen in het zwembad.'

'Voor wandelen heb ik te weinig tijd en zwemmen vind ik eng. Als ik niet met mijn voeten bij de grond kan, raak ik in paniek. Ik moet echt weten dat ik overal kan staan, zodat ik niet onverwacht kopje onder ga.'

Mieke lachte. 'Je bent daar niet de enige in. Veel mensen voelen die onzekerheid. Als je goed kunt zwemmen, moet het je eigenlijk niet uitmaken of het diep is of niet. Maar als je bang wordt en je gaat verkeerd ademen, dan slaat de paniek toe. Probeer eens met je buik te ademen, rustig inademen en dan heel, heel langzaam uitademen. Ga dat maar eens oefenen. Dan beginnen we de volgende keer met de algehele ontspanning.'

Het intakegesprek was Loes erg meegevallen. Ze kreeg een kaartje mee met de nieuwe afspraak erop en vertrok.

Ze reed even langs haar ouderlijk huis om alles te vertellen aan haar moeder, die op dit moment haar grote steun en toeverlaat was. Ze had nooit verwacht dat de band zo aangehaald zou worden, maar ze was er blij mee. Je moest toch ook eens met een vertrouwd iemand over al je sores kunnen praten.

Haar moeder zat net de krant te lezen, haar vader was in het schuurtje iets aan het knutselen.

'Ben je een baan en een huis voor me aan het zoeken?' plaagde Loes.

'Daar kijk ik ook naar, dat geeft toch niets,' glimlachte haar moeder. 'Maar ik lees dat er in Den

Bosch een tentoonstelling is over het werk van Marjolein Bastin. Daar zou ik heel graag naartoe gaan. Wat denk je, Loes, heb je zin om samen te gaan?'

Loes bedacht dat ze best eens iets terug kon doen voor haar moeder, die tenslotte dag en nacht voor haar klaar stond.

'Dat is goed. Het lijkt me gezellig om samen iets te doen. Zal ik rijden? Dan hebt u daar geen zorgen over.'

'Ik wilde voorstellen om met de trein te gaan. Ik heb een kortingskaart. Dan mag je een paar mensen meenemen die ook korting krijgen. We hebben geen last van druk verkeer en hoeven niet in de file terug.'

'Dat is prima.'

Ze legden de datum vast. Het moest een dag zijn waarop geen van beiden een verplichting had.

In de krant stond een etage te huur in de particuliere sector. Loes besloot er diezelfde avond nog heen te gaan. Ze kon nu wel net blijven doen of er niets aan de hand was en proberen de scheiding eindeloos te rekken, maar ze begreep wel dat er voor haar geen andere uitweg was dan toe te stemmen.

Dan kon ze eens aan de toekomst gaan denken en van dingen proberen los te komen. Als ze met niets meer aan hem verbonden was, zou ze de walging en minachting misschien achter zich kunnen laten. Je kon met liefde aan iemand verbonden blijven, maar ook met haat.

Ze zou schoon schip moeten maken.

Voor ze naar de etage ging, belde ze of ze diezelfde avond kon komen kijken. Dat bleek een beetje moeilijk te zijn, dus maakte ze een afspraak voor de volgende morgen.

Er had een Frans echtpaar gewoond en dat was maar voor tijdelijk geweest. Hij had op de universiteit lesgegeven in het kader van een uitwisselingsprogramma. Ze waren weer naar hun eigen land vertrokken, waardoor de woonruimte nu weer beschikbaar was. Die bestond uit een woonkamer, keuken, badkamer en twee slaapkamers. Precies goed voor mij, dacht Loes. Toen ze 's avonds in bed in het duister lag te staren, besloot ze net te doen alsof alles al in kannen en kruiken was.

De woonkamer zou ze heel modern inrichten, met lichte meubels. Een beetje zoals het hier ook was, maar zonder dat het nare herinneringen opriep.

De keuken zou wel heel eenvoudig zijn. Dat was natuurlijk behelpen omdat ze hier een prachtige, functionele keuken had, met alles erop en eraan, zoals een zespitsfornuis, vaatwasser, magnetron enzovoort. Daar zou ze flink op achteruit gaan,

maar wie weet, met een nieuw deurtje of iets dergelijks zou ze er toch nog iets van kunnen maken.

Dan de slaapkamers. De grootste kon ze voor
zichzelf inrichten, helemaal in haar stijl. Warme
kleuren als accent en lichte meubels. De andere
kamer kon ze als logeerkamer gebruiken, dat was
ook wel prettig. Ze kon er haar naaimachine zetten
en de strijkplank.

Ze zou ook een baan moeten vinden om in haar
onderhoud te voorzien. Dit had ze allemaal nooit
van het leven verwacht. Al fantaserend viel ze in
slaap.

Ze droomde dat ze een heel huis moest schoonmaken. Overal lag vuil en ze had alleen een stoffer
en blik. Iedere keer als ze het blik had leeggemaakt
in de grijze vuilcontainer en ze naar binnen ging,
zag ze dat het schoongemaakte gedeelte weer vol
met vuil lag.

Ze werkte en werkte, maar het schoot niet op. Tot
opeens Paul binnenstapte. Hij droeg een mooie,
witte bruidsjapon over zijn arm.

'Wat ben je hier allemaal aan het doen?' vroeg hij.
'We gaan toch trouwen?'

Hevig transpirerend werd ze wakker. Haar hart
bonsde bijna uit haar lijf. Haar haren plakten aan
haar hoofd.

'O, Paul,' snikte ze. 'Waarom ben je weggegaan? Waarom dankte je me op zo'n gemene manier af? Ik heb toch zo mijn best gedaan. Ik kon het toch niet helpen dat ik geen kinderen kon krijgen. Ik vond het net zo erg als jij. O, waarom, waarom?'

Ze maakte zich hoe langer hoe meer overstuur en ze huilde met grote uithalen.

'Niemand om me te troosten,' riep ze. 'Niemand die een arm om me heen slaat. Ik ben helemaal alleen.'

Ten slotte viel ze doodmoe terug in de kussens. Ze schaamde zich een beetje dat ze zich zo helemaal had laten gaan. Maar het luchtte op. Ze ging naar de badkamer om haar gezicht met koud water te deppen en een glas fris water te drinken. Per slot van rekening was niemand getuige geweest van haar uitbarsting, dus ze had het alleen voor zichzelf moeilijk gehad.

Ze liep naar beneden en zette een mok thee. Ze smeerde een beschuit en legde er een plak oude kaas op. Ze schikte alles op een dienblaadje en liep de donkere woonkamer in. Even later zat ze in de grote leren stoel bij het raam. De warme thee was lekker zoet. Het was donker op straat. Er was normaal al heel weinig verkeer langs hun huis, maar nu kwam er helemaal niemand langs. De maan stond in een glanzende cirkel en wolken joegen langs de lucht.

Je kon de stilte gewoon horen, en dat maakte dat ze haar eenzaamheid nog sterker voelde. Ze zou toch stappen moeten zetten om uit deze impasse te komen, dacht ze voor de zoveelste keer.

Toen ze wat tot rust was gekomen, ging ze terug naar bed. Daar knielde ze neer om te bidden. Het was zo lang geleden dat ze dat had gedaan. Maar ze had er zo'n behoefte aan, want God luisterde altijd – dat had haar vader gezegd. Ze legde al haar verdriet voor Hem neer en ze smeekte om hulp zodat ze alles kon dragen. Niet uit verdienste, maar uit genade. Om Jezus' wil.

De volgende morgen stond ze toch nog uitgerust op. Deze dag zou ze naar de etage gaan kijken. In gedachten had ze het allemaal voor elkaar. Ze twijfelde er niet aan of aan het eind van de dag zou ze de nieuwe huurster zijn. Maar dat viel even tegen.

Ze moest een heel hoge trap op en toen ze boven was en rondkeek, ontdekte ze dat het er allemaal even verveloos en uitgewoond uitzag.

Ze had beslist een voorspellende droom gehad, want ze zou gelijk kunnen beginnen met schoonmaken.

De mevrouw die haar voorging de kamers door, praatte aan één stuk door over wat ze van dit alles zou kunnen maken.

Dat zou wel kunnen, maar daar had Loes geen zin in. Ze was van plan een huis te huren waar ze zo in kon trekken. Niet een huis waar ze nog van alles aan moest veranderen.

De slaapkamers lagen niet zo gunstig als ze had verwacht. De grote slaapkamer lag op het noorden en de kleine op het zuiden. De ene zou waarschijnlijk te koud en de andere te warm zijn.

Het toilet zag er vanbinnen vies en zwart uit. Daar zou een nieuw exemplaar in moeten. De douche was klein, met een goedkoop plastic gordijn, en de keuken was in één woord ranzig.

'Hier is niet veel gewerkt,' zei ze geschrokken.

'Dat komt omdat het tijdelijk was,' haastte mevrouw zich te zeggen. Ze zou het allemaal door een schoonmaakbedrijf laten opknappen.

Maar Loes was diep teleurgesteld. Toen ze hoorde dat de huurprijs achthonderd euro per maand was, had ze er haar buik van vol.

Als je tijdelijke woonruimte huurde, kon je het toch wel een beetje bijhouden? Of hadden Franse echtparen geen benul van huishoudelijk werk?

'Mevrouw, het spijt me voor u, maar dit is echt niet wat ik zoek,' zei ze ten slotte.

'Het is meer iets voor studenten. Die hebben geen last van rommel en vuil, omdat ze daar vaak aan gewend zijn.' Voor Loes kon opmerken dat het voor een studentenflat wel erg prijzig was, kapte de vrouw heel de zaak af en liep de smalle trap af naar beneden en naar buiten.

Dat was even een tegenvaller. Ze had het in gedachten al helemaal voor elkaar gehad, maar dat was dus nogal voorbarig geweest.

Ze besefte nu opnieuw, dat ze toch heel gerieflijk woonde. Een mooi huis met een tuin in een goede buurt, dat kreeg je zomaar niet terug. Maar ze was ook niet van plan in zo'n gribus te gaan zitten als ze net had gezien.

Ze belde Paul op zijn mobiel. Hij wist dat ze naar de etage zou gaan kijken en ze vond dat hij direct maar moest weten dat het niks was geworden.

Ze kreeg hem gelijk aan de lijn en ze deed verslag van haar bezoek.

'Wat jammer,' vond hij. 'Het zou fijn geweest zijn als je er kon wonen. Was het werkelijk zo vuil?'

'Ga maar kijken,' riep ze boos. 'Per slot van rekening heb ik dit allemaal niet verzonnen. Ik ga niet uit ons oude huis weg voor ik iets fatsoenlijks heb gevonden. Dit was het beslist niet.'

'Bel nog eens naar de woningbouwvereniging,' raadde Paul aan. 'Je bent een urgent geval.'

'Doe dat zelf maar!' riep ze, en ze verbrak de verbinding.

Mismoedig reed ze naar huis.

8

Op het reisbureau, waar ze een dag in de week werkte, verzonnen ze van alles om Loes uit haar sombere stemming te halen.

'Ga eens een reisje maken. Neem het vliegtuig naar New York en ga daar lekker winkelen.'

Maar Loes gaf daar helemaal niets om. In tegenstelling tot andere vrouwen winkelde ze niet zo graag en stel dat ze naar New York zou gaan, dan waren haar problemen daar niet mee opgelost. Die nam ze gewoon mee.

'Of een vrijgezellenreis,' opperde een ander.

'Ben je nou helemaal,' schrok Loes. 'Om me weer aan een man te helpen zeker? Ten eerste ben ik nog niet gescheiden, ten tweede zou ik nooit voor zoiets voelen. En dan ten laatste, hoewel dat het belangrijkste is, ik hoef nooit van mijn leven meer een man. Ze zijn allemaal even gemeen en niet te vertrouwen. Ik hoorde eens iemand zeggen: iedere man heeft een pet onder zijn hoed. Ze zijn allemaal hetzelfde. Nee, daar brand ik mijn vingers niet meer aan.'

Maar ze ging wel, zoals ze had afgesproken, met haar moeder naar Den Bosch om de tentoonstelling van Marjolein Bastin te bekijken.

Het was niet druk in de trein omdat ze in de dal-uren gingen. Voor ze er erg in hadden, stopten ze al op het station, dat vernieuwd en verbouwd was en nu torenhoge roltrappen had. 'Ik vind het maar enge dingen,' griezelde Loes. 'Stel dat je ervanaf valt, of ertussen komt.'

Even later lag de stad aan hun voeten en liepen ze richting Brabants Museum. 'Daar hangen ook de schilderijen van Jeroen Bosch,' wist de moeder van Loes. 'Vader heeft daar een boek over.'

'Dat herinner ik me precies, vroeger keek ik er weleens in als vader het niet zag. Hij vond de voor-stellingen niet geschikt voor kinderen, en daar had hij eigenlijk wel gelijk in.' Loes kreeg nog kippenvel bij de gedachte aan al die enge wezens die de schil-derijen bevolkten. Je moest beslist niet in dat boek kijken voor je ging slapen, want dan droomde je ervan.

Den Bosch was een leuke, oude stad met veel sfeer. Een grote markt, de monumentale kerk, de Sint Jan, en allemaal kleine, gezellige straatjes met lange rijen terrasjes.

Ze besloten eerst koffie te drinken met de beroemde Bossche bol en daarna een broodje te eten om de honger te stillen.

'Eigenlijk zou ik dit met vriendinnen moeten doen,' mijmerde Loes hardop.

'Je bent zo met huid en haar opgeslokt in je huwelijk dat het je van al je vriendinnen heeft vervreemd,' zei haar moeder. 'Je had alleen maar oog voor Paul. Om hem draaide heel je leven.'

Loes zuchtte. 'Ja, dat was verkeerd. Voor mij was er maar één man op de wereld en dat was Paul. Hij vulde mijn hele leven, en ik dacht dat ik niets meer nodig zou hebben. Hij vond het ongezellig als ik wegging. Als er een vriendin kwam, ging hij er pontificaal bij zitten en bemoeide zich met het gesprek. Zo ben ik wel een paar vriendinnen kwijtgeraakt. Je moet toch als vrouwen eens onder elkaar kunnen praten. Het waren helemaal geen geheimen, maar het voelde zo niet goed. En ik heb ze laten gaan. Paul ging voor. Paul ging altijd en overal voor. Hij besliste wat er gekocht werd, hij besliste waar we op bezoek gingen, waar de vakantie naartoe ging. Nu ga ik al die dingen pas zien. Ik ben te verliefd op hem geweest om daar erg in te hebben. Mijn huwelijk was perfect. Nu ja, na vijfentwintig jaar ben je niet meer zo hoteldebotel als in het begin, zoals ik al zei. Maar het was goed zoals het was.' Ze zweeg een tijdje.

'Niet dus!' concludeerde ze.

'Nee, kind. Ik heb het ook niet zien aankomen. Anders hadden we die cassette met zilver niet gekocht.'

'Dat snap ik.'

'Maar dat is niet het ergste. Die zilveren lepels en vorken zijn maar bijzaak. Het ergste is dat je zomaar van de ene dag op de andere verlaten bent. Dat je straks tegen je wil in een gescheiden vrouw bent. Je kunt er niets aan doen.'

'Nee,' gaf Loes toe. 'Was het maar waar. Misschien kan ik opnieuw beginnen met vriendinnen maken. Ik hoop het.'

'Ach, je weet het nooit. Het zou kunnen dat...' Haar moeder stopte opeens haar zin, maar Loes had al begrepen wat ze zeggen wilde.

'Je zit al aan een nieuwe echtgenoot te denken, zeker. Nou, moeder, zet dat maar uit je hoofd. Van m'n levensdagen niet.'

Het museum lag één straat vanaf het terrasje waar ze hadden gezeten. Het was er druk. Loes zag veel bewaking, dat zou waarschijnlijk wel nodig zijn. De expositie was buitengewoon mooi. Wanden vol ingelijste aquarellen, alles even perfect geschilderd.

Er liepen veel mannen rond en dat hadden ze eigenlijk niet verwacht. Er was een gedeelte ingericht met alle spulletjes van Vera de muis. Het trok veel kinderen, die aan een tafeltje afbeeldingen zaten te kleuren.

'Het is een volmaakte natuur die Marjolein laat zien,' zei Loes bewonderend. 'Soms is het te mooi. De natuur kan ook wreed zijn, maar dat zie je natuurlijk niet.'

Wat ook leuk was, was de werkkamer van Marjolein, die compleet achter glas was ingericht. Met alle kwasten en kwastjes en de blokjes waterverf.

Het zag er allemaal uit alsof Marjolein zo binnen zou kunnen stappen en met haar werk kon beginnen.

'Ik zou willen dat ik ook ergens zo bijzonder in was,' zei Loes bewonderend. 'Eigenlijk kan ik helemaal niks. Nu ja, lekker koken, maar dan heb je het wel gehad.'

'Ieder mens heeft zijn eigen talenten,' zei haar moeder troostend. 'Ook in het gewone kun je bijzonder zijn. Trouw je werk en je plicht doen is ook niet mis.'

Ze kochten nog wat kaarten in het cadeauwinkeltje. Altijd leuk om die achter de hand te hebben om naar iemand te sturen, want wie was er niet blij met zo'n mooie natuurkaart?

Het was een buitengewoon fijne dag. Weer eens iets heel anders dan het dagelijkse gepieker over de breuk met Paul en de dingen die ze moest regelen.

'Ga je mee om bij ons te eten?' vroeg haar moeder, en Loes stemde toe. Dan konden ze nog even napraten voor ze weer naar haar eenzame huis ging.

Toen ze thuis waren, vertelde Loes' vader dat Paul had gebeld.

'En wat had hij?'

'Hij probeert je al een paar dagen te bereiken, maar hij krijgt je niet te pakken, want je mobiel staat uit. Hij wil vanavond langskomen met allerlei papieren om te tekenen, zodat er een beetje schot in de scheiding komt.'

'Dan ga ik na het eten vlug naar huis.'

'Zo'n haast hoef je niet te maken. Je kunt hem even bellen hoe laat je thuis bent. We zijn zo anderhalf uur verder eer we gekookt en alles opgegeten hebben.'

'Ja, dat is waar,' zei Loes. Ze pakte haar mobiel uit haar tas om met Paul contact op te nemen.

En zo zat ze dus later op de avond met Paul aan de grote keukentafel, die vol met papieren lag.

Pauls advocaat had alles uitgezocht en was met

een uitgebreid advies gekomen. Het huis werd eigendom van Paul. Hij zou na aftrek van de hypotheek de helft van de waarde aan Loes uitbetalen. Het huis en de hypotheek waren dan van hem; Loes had geen rechten meer. Verder zou ze een maandelijks bedrag krijgen als alimentatie. Mocht ze opnieuw trouwen, dan verviel het laatste.

Ze keek naar Paul, terwijl hij dingen voorlas en bezig was met de papieren. Ze kon hem wel een klap geven om alles wat hij haar had aangedaan.

'Je dacht toch zeker niet dat ik ooit nog eens met een man in zee zou gaan?' vroeg ze boos.

'Waarom niet. Het zou toch kunnen dat je...'

'Houd op. Ik heb heel m'n verdere leven geen behoefte meer aan een man. Ze zijn allemaal hetzelfde. Voor je het weet, ben je afgedankt.'

'Dat valt best mee,' was het antwoord van Paul. 'Zo veel mensen overkomt dit niet. De meeste huwelijken houden stand.'

'Het onze niet in ieder geval.' Loes wond zich weer op. 'Een kind maken bij een ander en daarna je vrouw afdanken. Een mooie volgorde, zogezegd. Andersom was wel een elegantere manier geweest, hoewel het natuurlijk ook dan uit den boze is.'

'Je gaat weer naar de kerk, hè?' gooide Paul het over een andere boeg.

'Hoe weet je dat?'

'Van horen zeggen.'

'Nou, dan heb je dat goed gehoord. Ik ga iedere zondag weer naar de kerk en dat bevalt me heel goed.'

'Ja, dat zal wel,' zei Paul sarcastisch.

'Je hoeft niet zo lelijk te doen, want dat we niet meer naar de kerk gingen, was jouw schuld.'

'Dat denk je, maar je was er zelf ook bij. Dan kun je de schuld niet op een ander schuiven.'

'Jij wilde niet meer gaan, terwijl je het beloofd had. En toen heb ik naar jou geluisterd. Daar heb ik spijt van.'

'Misschien krijg je wel allemaal nieuwe vrienden en kennissen uit de kerk, helemaal naar je eigen smaak.'

Loes zei niets terug. Ze voelde niets voor geharrewar over de kerk, waar zij liefde en troost vond, maar die Paul helemaal niets zei.

'Je kunt nu wel minachtend doen over de kerk, Paul, maar je weet zelf ook wel dat we naar de kerk moeten gaan en dat we bekeerd moeten worden. Anders loopt het niet goed met ons af. Ik heb daar jarenlang niet aan gedacht en eroverheen geleefd. Maar sinds ik iedere zondag hoor preken over de Heere Jezus, die we nodig hebben om met God verzoend te worden, ga ik voelen hoe zondig en schuldig ik ben. Dan voel ik de noodzaak van bekering en daar denk ik veel over na.'

'Het zal wel meevallen, hoor. Jij tilt overal veel te zwaar aan,' zei Paul optimistisch. 'En zo erg zondigen we nu ook weer niet.'

'Dat zou ik maar niet zo hard roepen, want wat jij allemaal aan het doen bent, is tegen de wil en de geboden van God.'

'Nou, wat dan allemaal?'

'Overspel, liegen,' somde Loes op. 'Echtscheiding. Dat is nogal wat, zou ik denken.'

'Het is maar hoe je het bekijkt. Waarom heeft God er dan niet voor gezorgd dat we kinderen kregen? Dan was dit allemaal niet gebeurd.'

'O, nu schuif je de schuld op God.'

'Laten we er maar over ophouden, het is nu eenmaal zo. Als we een goed echtscheidingsconvenant hebben, kan de scheiding uitgesproken worden.'

'Ik teken niets voor mijn advocaat alles heeft gelezen,' zei Loes beslist.

'Je kunt toch alvast het een en ander tekenen,' zei Paul. 'Dan neem je de rest mee naar je advocaat. Heus, je kunt me vertrouwen.'

'Ja, dát heb ik gemerkt, hoezeer je te vertrouwen bent,' zei ze kwaad. 'Ik vertrouw je niet verder dan dat ik je zie. En je mag alle felicitaties voor ons vijfentwintigjarig huwelijk ook meenemen. Kun je bewaren! In een mooi doosje. Leuk om met Eline nog eens na te lezen.'

Ze dacht dat hij haar door elkaar zou schudden, zo dreigend kwam hij naar haar toe. Maar ze toonde zich niet bang. 'Ik ga hier niet weg voor ik een ander huis heb. En niet in een achterbuurt of een stacaravan, als je dat maar weet. Je doet je best maar.'

'Ik wil graag dat de baby hier wordt geboren, dat er een kamertje is dat we leuk ingericht hebben,' zei hij.

Loes kromp in elkaar. O, wat deed dat pijn vanbinnen. Ze kon met moeite haar tranen tegenhouden. Wat laag-bij-de-gronds van Paul om dit tegen haar te zeggen. Was dat nou de man van wie ze had gehouden? Die ze haar volste vertrouwen had geschonken, voor wie ze respect had gehad en die ze heel haar huwelijk trouw was geweest. Nooit was er ook maar één ontrouwe gedachte in haar opgekomen. Nooit!

Wat was ze toch verschrikkelijk naïef geweest. Of was het misschien een goede eigenschap? Als je zelf niet zo dacht, verdacht je je echtgenoot er ook niet van.

'Laten we even opschieten met alles,' zei ze, terwijl ze een mooi stapeltje maakte van de papieren waar ze aandacht aan zou moeten besteden. 'Hoelang duurt alles nog?'

'Als alles is getekend, gaat de regeling naar de rechtbank. De rechter kan dan bepalen dat de afspraken rechtsgeldig zijn. Desnoods kan de rechtbank alles schriftelijk afhandelen.'

'En dan zijn we gescheiden.'

'Ja.'

'Ik zal er morgen direct werk van maken,' beloofde ze. Dan heb ik mijn eigen naam weer terug, dacht ze. En dan gaan de mensen lelijk over me doen. Ik ken de veroordelingen.

'Zo mevrouw, je had bij je vent moeten blijven, scheiden mag niet.'

'Schuldloos gescheiden bestaat niet.'

'Weet je wel dat je nooit meer mag trouwen, want dan pleeg je overspel.'

'Ik heb toch liever dat je niet meer bij me op bezoek komt. Een gescheiden vrouw. Nee!'

Het duurde die avond heel lang voor de slaap zich over haar ontfermde.

9

De scheiding was uitgesproken, het definitieve einde van hun huwelijk was gekomen.

Loes had haar eigen achternaam weer terug en ze had een flinke som geld op de bank, maar nog geen huis. Paul had gezegd dat hij misschien wel iets wist, maar hij was er nog niet mee op de proppen gekomen. Wat er wel was, was een dringend verzoek van haar zus Hanna om een tijdje bij haar en haar man te komen logeren.

'Even weg uit alle ellende, zodat je weer tot jezelf kunt komen,' had Hanna gemaild. En Bert had eraan toegevoegd dat hij bij zijn volgende verlof met alle plezier Paul een pak slaag zou komen geven.

Daar zou natuurlijk niemand iets mee opschieten, maar het klonk toch goed dat dit ook eens werd gezegd.

Ze zou Paul niet eens meer terug willen. Zelfs al zou hij met veel spijt en allerlei excuses bij haar aankloppen. Ze was te veel beschadigd door alles. Ze sliep slecht, voelde zich moe en kon soms door iets kleins in een reusachtige huilbui uitbarsten.

En nu had ze er nog een probleem bij: zou ze wel of geen gehoor geven aan het verzoek van haar zus?

Aan de ene kant leek het haar heerlijk om even iets anders te doen. Maar het was helemaal in Dubai en dat was niet naast de deur.

Het was bovendien een islamitische staat met een heel andere cultuur. Hanna had er in het begin ook erg aan moeten wennen. Ze was met Bert mee gegaan toen hij door een grote oliemaatschappij was uitgezonden, maar tot nu toe had ze zich een vreemde eend in de bijt gevoeld.

Aan de andere kant was het voor Hanna best fijn als haar zus eens kwam. Na veel wikken en wegen besloot ze om te gaan.

Ze zocht de informatie op die haar ouders nog hadden van de tijd voor het vertrek van Hanna en Bert. De voertaal was er Arabisch en Engels en de munteenheid was de dirham.

Gelukkige hoefden buitenlandse bezoekers geen hoofddoek om of het allesbedekkende gewaad, de aboya, te dragen.

Ze moest alleen de papieren in orde maken en een nieuw paspoort aanvragen, want het oude was verlopen.

Voor de Wereldwinkel kende ze iemand die haar

wilde vervangen en bij het reisbureau nam ze vakantie op. De fysiotherapeute vond een vakantie ook een uitstekend idee.

'Probeer helemaal tot rust te komen,' adviseerde Mieke. 'Misschien gaat het wel heel goed met je ademhaling, en anders gaan we gewoon verder waar we gebleven waren als je weer terug bent.' Loes begon zich er echt op te verheugen en ze keek ernaar uit.

Toch was ze huiverig om haar huis te verlaten. Stel je voor dat Paul er met Eline zou intrekken, zodat ze, als ze terugkwam, geen huis meer had en op straat stond. Ze waakte er wel voor om haar vermoedens met Paul te delen, omdat ze bang was hem op een idee te brengen. Vooral omdat hij het geld al op haar rekening had gestort en hij dus alle recht had om er te gaan wonen. Hij was alleen zo fatsoenlijk geweest om dat nog niet door te zetten.

Maar wat niet was, kon komen.

Ze zocht in ieder geval haar spullen bij elkaar en zette die in grote, kartonnen dozen in de garage. Misschien was het dom om dat te doen, maar stel je voor dat hij in het huis ging rommelen en dingen van haar weggooide waaraan ze gehecht was.

Ze besloot verder om zich niet meer hele dagen het slachtoffer te voelen. Daar schoot ze niets mee op. En er met andere mensen over praten, zag ze als zelfbeklag en zelfmedelijden, waar mensen heel vlug genoeg van hadden.

De huisarts had haar voorgesteld om contact op te nemen met het maatschappelijk werk, want daar werden praatgroepjes georganiseerd voor gescheiden mensen. Toch aarzelde ze om dat te doen. Het kon altijd nog, had ze gedacht.

Maar het werd haar toch sterk aangeraden. Iedereen kon er zijn of haar verhaal kwijt en dat luchtte soms enorm op. Vooral als je geen kant meer op kon. Door de verhalen die je hoorde, wist je dat je niet de enige was die in de puree zat. Dat laatste sprak haar wel aan, maar ze was toch een beetje bang om in een groep zomaar alles op tafel te gooien.

Stel je voor dat die mensen over elkaar gingen kletsen. Dan kon je net zo goed alles in de krant laten zetten.

Maar ja, het was natuurlijk ook weer zo dat ze zichzelf niets te verwijten had. Ze had haar man niet bedrogen met een ander, hij zelf was onvoorstelbaar veranderd doordat een andere vrouw hem in haar klauwen had gevangen. Zo zag ze het tenminste nog steeds.

Er waren geen heftige dagelijkse ruzies geweest en ze waren elkaar ook nooit te lijf gegaan.

Waar ze wel vaak mee zat, was dat er in het huwelijksformulier stond dat God Adam zijn vrouw had gegeven en 'daarmee betuigt dat Hij nog heden ten dage aan een iegelijk zijn huisvrouw als met zijn hand toebrengt'.

Dat was heel hard om te lezen als je zo verschrikkelijk met de gebakken peren zat.

Kon God zich daarin vergissen? Of mocht je zo niet denken?

Ze waren toch samen, met alle goede bedoelingen, in de kerk getrouwd. Maar het was zo vreselijk misgelopen.

Ze had zo veel van Paul gehouden en ze was altijd in de veronderstelling geweest dat ze hun gezamenlijk verdriet, hun kinderloosheid, samen zouden kunnen dragen. Wat was dan de bedoeling van hun huwelijk geweest? Ondanks alle boze gedachten die ze over Paul had, miste ze een luisterend oor, een arm om haar schouders en de intimiteit van samen in één bed liggen. Kortom: ze voelde zich maar een half mens. Ze wist dat ze niet bij de pakken moest neerzitten, maar de toekomst onder ogen moest zien. Ze had per slot van rekening een flink geldbedrag ontvangen. Het zou Paul wel tegenvallen dat hij nu zo hoge hypotheeklasten moest gaan betalen, maar ja, als het aan haar had gelegen, was het natuurlijk niet gebeurd. Het was zijn eigen schuld – letterlijk.

Ze kocht een stevige koffer met wieltjes die tegen een stootje kon en begon haar papieren in orde te maken. Want dat ze naar haar zuster zou gaan, stond nu wel vast.

Haar ouders zorgden voor een flink aantal cd's met preken, die Hanna zou kunnen afspelen. Het enige wat ze daar konden doen, was een preek beluisteren van een cd. Er was daar weinig gelegenheid om naar de kerk te gaan.

Dat had Hanna in het begin wel tegengestaan en soms had ze zich geërgerd aan het feit dat Bert een baan had waarbij hij steeds uitgezonden kon worden. Ze hadden een tijdje in Texas gewoond en een paar jaar in Wenen. Je kon het van tevoren nooit precies uitstippelen, want er werd voor hen beslist. Het was in ieder geval tegengevallen, maar Bert had al ter sprake gebracht dat hij graag weer in Nederland zou willen werken.

Loes kocht een paar zomerjurkjes van luchtig katoen, want Hanna had haar al gewaarschuwd voor de hitte. Aan de kust was het ongeveer drieënveertig graden, maar in het binnenland kon je rekenen op zesenveertig graden, en Loes kon niet goed tegen de hitte.

Alle kleding plakte dan aan je lijf en je armen en benen waren loodzwaar. Maar Hanna had verteld dat er in gebouwen overal airco was, dus binnen was het lekker koel. Daar hoefde ze zich in ieder geval niet druk om te maken. Iedereen verplaatste zich per taxi en die waren ook allemaal van een airco voorzien.

Ze besloot haar eigen auto in de garage te laten staan en zich door een busje van de KLM naar Schiphol te laten vervoeren. Het kostte een kapitaal om daar zo veel dagen te parkeren en ze werd voor de deur opgehaald. Het was dan wel 's morgens om vijf uur, maar dat vond ze niet erg. Je had dan verder nergens meer zorgen over.

Ze was wel een beetje zenuwachtig voor de vliegreis. Ze wist wel dat de statistieken aangaven dat er veel meer mensen door een auto-ongeluk om het leven kwamen dan in het luchtverkeer, maar in een vliegtuig was je helemaal opgesloten. Je kon niet zomaar uitstappen of eruit gehaald worden. Maar ze geloofde ook dat de levenstijd van ieder mens door God werd bepaald. Je kon er geen minuut bij of af doen, en dat gaf wel een beetje rust.

En zo brak de dag aan dat het Schipholbusje haar ophaalde om aan haar reis te beginnen.

Haar vader had aangeboden haar te brengen, maar dat had ze vriendelijk afgeslagen. 'U bent de jongste niet meer; ik vind het veel te vermoeiend voor u. En dan dat lange wachten voor het vliegtuig vertrekt. Nee, blijf maar lekker thuis.'

Het was nog donker toen ze instapte. Er zaten al een man en een vrouw in en ze moesten nog ergens een echtpaar ophalen.

Ze reden over de nog rustige snelwegen naar Schiphol. Gelukkig had niemand zin in praten omdat ze, behalve de chauffeur, nog een beetje slaperig waren. Aan de horizon begon het wat lichter te worden. Loes zag de vage omtrekken van de koeien die in de ochtendmist stonden. Hun koppen kwamen net boven de nevel uit.

De drukte die ze wat later op Schiphol meemaakte, was overweldigend. Ze was opgelucht toen ze eindelijk voorbij de douane was en de taxfreeshops had bereikt, waar flink werd ingekocht. Bijna iedereen had zo'n felgekleurde tas bij zich, die in de verte al te herkennen was.

Ze kocht twee flesjes *Opium* eau de toilette, één voor zichzelf en één voor Hanna; een goede aftershave voor Bert en een frisse, jonge geur voor Louise, de dochter van Hanna en Bert, die naar Loes was vernoemd.

Het zou leuk zijn om Louise ook weer te zien. Hanna en Bert hadden één dochter gekregen. Ze hadden dolgraag meer kinderen gehad, maar die waren nooit gekomen. Maar ja, één is meer dan geen, en daarom had Loes haar zuster weleens benijd.

Het meisje ging naar een internationale school. Ze zat vlak voor haar examens en als ze daarvoor was geslaagd, wilde ze in Nederland verder studeren. Dat was ook een reden waarom Hanna en Bert weer graag naar hun vaderland wilden terugkeren.

Ze hadden hun dochter laat gekregen en als bezorgde ouders zagen ze het niet zo zitten om haar in haar eentje naar de universiteit in een van de grote steden te laten gaan.

Een jonger kind kon je gemakkelijk meenemen, dat vond overal wel een vriendinnetje, maar een bijna volwassen dochter gaf andere problemen.

Loes zocht een plaatsje op waar ze kon wachten tot het tijd was om in het vliegtuig te stappen. Ze bekeek op haar gemak de mensen die langsliepen. Er zat van alles tussen: zakenmensen met een laptopkoffertje, een enkele Arabier in een lang, wit gewaad met een geblokte of witte doek op zijn hoofd, een blonde vrouw met twee kleine meisjes. De vrouw was behoorlijk nerveus en ze hield de kinderen stevig vast, alsof ze bang was om ze kwijt te raken. Een paar jongelui, die onverschillig rondkeken, een ouder echtpaar – kortom, er was afleiding genoeg voor Loes.

Hanna had beloofd om met een taxi naar het

vliegveld te komen, zodat ze Loes kon opvangen als ze uit het vliegtuig stapte. Dat was goed geregeld, want ze was nog nooit bij Hanna en Bert geweest, dus het zou voor haar een toer zijn om alles te vinden.

Aldus gerustgesteld liep ze even later de slurf naar het vliegtuig in.

De reis was begonnen!

10

Loes werd wakker door een geluid dat ze niet kon thuisbrengen. Het was nog heel vroeg in de morgen, zag ze op haar klokje. Ze ging rechtop in bed zitten om beter te kunnen luisteren. Opeens begreep ze wat het was.

Door de luidsprekers op de minaret van de moskee riep de muezzin op tot het ochtendgebed. Het klonk behoorlijk hard en werd verschillende keren herhaald.

Loes draaide zich nog eens om, het was niet voor haar bedoeld. Hanna had het al verteld, maar als je op die manier wakker werd gemaakt uit een diepe slaap, moest je even nadenken wat dat lawaai betekende.

Vijf keer per dag klonk de oproep tot gebed. Ongeveer een kwartier lang sloten alle winkels hun deuren en gingen de rolluiken naar beneden, zodat het personeel de gelegenheid kreeg om te bidden. Hanna hoorde het niet meer, had ze gezegd. Je wende er zo aan dat je er soms geen erg meer in had. Net als mensen die langs een spoorlijn woonden vaak ook niet wisten of de trein nog komen moest of al geweest was.

Maar voor Loes zou het allemaal nog wennen zijn.

Ze had heerlijk geslapen na de drukke reis. De logeerkamer was een prachtige, koele kamer met marmeren tegels op de vloer. Er lagen een paar perzische kleedjes met prachtige kleuren en patronen. Dat waren de enige drukke elementen in de kamer, die verder een smetteloos witte aankleding had.

Hanna bofte maar, vond ze: een mooie witte bungalow met een binnentuin, een muur met een hoge poort eromheen om ongenode gasten buiten te houden. Het leek werkelijk op een sprookje.

Ze draaide zich nog eens lekker om in bed en sliep verder.

Toen ze haar ogen weer opendeed, keek ze in het gezicht van Hanna. 'Word eens wakker, Loes, ik heb het ontbijt klaar. Wat drink je liever, koffie of thee?'

Ze koos voor thee en ze kreeg van haar zuster een blauwzijden ochtendjas. 'Hier, trek maar aan, hij zal je wel passen.'

'Is het echte zijde?' vroeg Loes, terwijl ze met haar hand over de glanzende stof streek.

'Jazeker. We dragen hier allemaal natuurlijke stoffen, zoals katoen en zijde. In een kledingstuk met synthetische stoffen als polyester zou je flauwvallen, zo benauwd is dat.'

'Maar het is hier lekker koel,' vond Loes.

'Ja, dat doet de airco, maar de warmte dringt vaak overal doorheen. Vooral in de kamers die niet altijd worden gekoeld.'

Loes glimlachte. 'Je hebt het buitengewoon goed voor elkaar, zus!'

Hanna glimlachte. 'Ja, we hebben hier veel luxe, dat is zo.'

Loes trok de ochtendjas aan. Ze voelde zich een prinses. Het ontbijt stond klaar in de mooie, grote keuken, met diverse ingebouwde apparatuur. Er waren koffie en thee, vers geperst sinaasappelsap en warme broodjes. Wat was het fijn om eens zo verwend te worden.

'Heb je goed geslapen?' vroeg Hanna.

'Buitengewoon. Ik sta er zelf versteld van. De laatste tijd heb ik 's nachts meer gepiekerd dan geslapen, maar vannacht sliep ik heerlijk.'

'Daar ben ik blij om.' Hanna smeerde met zorg een broodje. 'Slapen is goed voor je. Hoe voelt het nu, als gescheiden vrouw?'

Loes verslikte zich in haar thee. 'Ik zou graag willen dat je me zo niet noemt.'

'Hoe dan?'

"'Verlaten' lijkt me een beter woord. Ik ben door mijn man verlaten voor een andere vrouw. Hij heeft overspel gepleegd en haar zwanger gemaakt. Hij heeft de scheiding doorgezet. Ik heb er geen schuld aan. Bij de uitdrukking 'gescheiden vrouw' moet ik denken aan iemand die haar koffers heeft gepakt en er na een flinke ruzie vandoor is gegaan. Zo van: je bekijkt het maar, ik hoef je niet meer.'

'Daar zit wel iets in,' zei Hanna nadenkend.

'Gescheiden zijn is zo'n verschrikkelijk beladen woord. Alsof je melaats bent. Zo wordt er op je gereageerd. Sommige mensen moeten een huwelijk tegen heug en meug volhouden. Ook al word je geslagen, geschopt, geknepen, uitgescholden en vernederd. Nee, scheiden mag niet, je moet bij elkaar blijven, ook al maakt het je diep ongelukkig. Dan zeggen ze: hij of zij had beter kunnen scheiden. Maar ze helpen zelf mee dit allemaal in stand te houden.' Loes slaakte een diepe zucht.

Hanna schoot in de lach. 'Nou, nou!'

'Het is toch waar, of niet soms? Er moet veel meer hulpverlening zijn voor zulke mensen. Ze komen met hun geweten in de knel. Ze durven niet. Ze vrezen het oordeel van 'de mensen', ze zijn bang voor de melaatsheid. Ze hebben soms jarenlang geprobeerd hun huwelijk te redden, de huisarts ingeschakeld, in therapie geweest en wat niet al. Duizendmaal de ander vergeven. Steeds geprobeerd opnieuw te beginnen, maar niets heeft geholpen. Zeg maar eens, wat moet je dan?'

Hanna smeerde bedachtzaam een broodje en deed er jam op. 'Je hebt gelijk, Loes, maar hoe weet je dat allemaal?'

'Ik praat ook weleens met mensen en dan hoor je vaak de achtergrond van de dingen.'

'Er is verschrikkelijk veel onrechtvaardigheid in de wereld en veel mensen worden daardoor getroffen,' zei Hanna.

'Zo is het maar net!'

'Loes, zou het mogelijk zijn, zolang je hier bent, wat afstand te nemen van je thuisproblemen? Bewaar ze tot je weer terug bent. Dan kun je hier eens bijkomen.'

'Ik zal het proberen,' beloofde Loes, 'maar het schiet natuurlijk iedere keer door je hoofd. Als je weggaat, neem je immers altijd jezelf mee. Maar goed, ik zal mijn best doen.'

Na het ontbijt kon Loes zich heerlijk wassen in de luxe badkamer. Ze hadden afgesproken samen de omgeving een beetje te verkennen en een van de grote warenhuizen te bezoeken, waar je alles zou kunnen kopen wat je maar kan bedenken.

Niet dat ze zo veel wilde kopen, want ze moest beslist verstandig met haar geld omgaan, maar wat kleine dingen konden er wel af.

Ze begon er steeds meer over te denken om, als ze weer thuis was, naar een koophuis uit te kijken. Ze zou een flink deel van haar eigen geld in het huis kunnen steken en dat zou de maandelijkse kosten drukken. Maar ze moest een baan hebben, want er zou toch ook brood op de plank moeten komen. Ze kon niet van de wind leven. Ze kon het beste haar plannen maar bijstellen.

Hanna kwam binnen. 'Ben je klaar? Dan kan ik een taxi bestellen.'

'Oké, doe maar. Moet ik nog een jasje of vestje aan?'

'Niet nodig. We zullen voor jou eens een leuke kaftan kopen. Ze hebben hier prachtige stoffen en een kaftan is heerlijk om te dragen. Hij knelt nergens en wappert gewoon een beetje om je heen.'

'Maar daar kun je toch niet mee op straat lopen?'

'O, jawel. Het is een keurig kledingstuk. Armen en benen bedekt en niet te lage hals.'

'In Nederland zou je dat niet kunnen doen!'

'Maar hier wel.' Hanna pakte haar mobieltje en toetste een nummer in. Loes hoorde haar in rap Engels praten. 'Over tien minuten staat de taxi voor.

Het is veel voordeliger dan zelf in een auto overal heen te rijden. Bert heeft er een om naar zijn werk te gaan, maar weet je, de vrouwen mogen hier niet autorijden. Zo ver zijn ze nog niet geëmancipeerd, zal ik maar zeggen. Daarom zijn taxi's heel goedkoop. En het is veiliger ook, voor een vrouw alleen. Zo'n chauffeur betekent een goede bescherming. Hij brengt je naar het juiste adres en je kunt hem op je laten wachten. Hij weet uitstekend de weg overal en kent de zeden en gewoonten van de stad.'

Er werd aangebeld, het was de taxichauffeur. Het was een kleine, donkerharige man die zich met een lichte buiging aankondigde.

Toen Loes even later de auto zag staan, schrok ze van de grote limousine die haar wachtte. 'Wat een luxe,' fluisterde ze tegen Hanna terwijl ze instapten.

'Dat is hier heel gewoon,' zei haar zus. 'Taxi's zijn hier allemaal grote, zwarte, glanzende gevaarten. Nou ja, de benzine kost hier twee keer niks.'

Ze reden door de brede, schone straten, waar veel autoverkeer was, maar alles ging heel gedisciplineerd. De meeste auto's zaten vol gesluierde gedaantes.

'Winkelende vrouwen,' glimlachte Hanna.

Ze kwamen langs de Dubai Creek, die midden door de stad stroomde. Op het glinsterende water dobberden kleine bootjes. Aan de oevers stonden mooie banken waarop je kon zitten om het schouw-spel te bewonderen.

Het warenhuis waar de taxi stopte, was groot en indrukwekkend.

'Wat ben ik een verschrikkelijk provinciaaltje,' verzuchtte Loes. 'Zoiets heb ik nog nooit gezien.'

De chauffeur haastte zich om het portier open te doen. Hanna betaalde hem en sprak af dat ze hem weer zou bellen als ze vervoer terug nodig hadden. Hij hoefde niet op hen te wachten.

De grote glazen deuren gingen open en de twee zussen stapten een andere wereld in.

Loes wist werkelijk niet wat ze zag. De mooiste en kleurigste artikelen lagen uitgestald. Er klonk heel zachte muziek en het rook er heerlijk naar bloemen. Waarschijnlijk verspreidde men een parfumgeur om het winkelen te veraangenamen.

Ze drentelden door de prachtige winkels. Hanna kocht een T-shirt voor haar dochter. 'Daar zal Louise wel blij mee zijn,' dacht ze hardop. 'Ze loopt altijd in haar schooluniform en dat blinkt niet uit in snit en kleur.'

'Maar het is wel een goede oplossing voor veel problemen, denk ik,' zei Loes.

'Jazeker,' lachte Hanna. 'Ze zien er allemaal een-der uit. Geen lage halzen, blote armen en blote benen. En ook geen dure-merkenwedstrijd. De voordelen zijn duizendmaal groter dan de nadelen. Is dat in Nederland ook zo?'

'Er wordt op veel Nederlandse scholen op gelet of je wel dure merkkleding draagt. Dan hoor je erbij. Voor zover ik erover gelezen heb, want ik heb er zelf geen ervaring mee.'

'Dat is waar. Vroeger trok je gewoon aan wat je moeder had klaargelegd. Daar viel niet over te discussiëren. Tegenwoordig hebben kleine kinderen al een eigen mode. De reclame beveelt het aan en de jeugd gehoorzaamt. De tijden zijn wat dat betreft wel veranderd. Ik weet nog,' herinnerde Hanna zich, 'dat op de lagere school de spijkerbroeken van de jongens toch van een bepaald merk moesten zijn. En de moeders kochten dan goedkope broeken op de markt, waarbij ze tegelijkertijd een labeltje konden aanschaffen met een dure naam erop.'

'En zo was iedereen tevreden!'

Loes kocht een zijden sjaal met sprankelende kleuren.

'Zo kan ik mijn jasje opfleuren. Het fijne van zijde is dat je het mooi om je nek kan knopen en dat het niet glijdt. Die polyester exemplaren raken allemaal los.'

'Zullen we koffie gaan drinken met iets lekkers erbij?' Hanna liep al door naar het restaurant.

Wat later zaten ze aan een groot glas koffie met

een stuk gebak.

'Mierzoet, maar wel lekker,' oordeelde Loes.

'Dat is in deze landen de gewoonte. Het eten moet pittig zijn, de koffie heet en sterk, en het gebak druipt van de boter en suiker.'

'Wat mij opvalt, is dat het hier allemaal zo modern is. Ik had een veel conservatiever beeld verwacht.'

'Toen wij hierheen gingen, was het nog niet zo als nu. Maar de vooruitgang is razendsnel gegaan. De mensen hebben geld en willen kopen. Ze hebben ook heel veel tijd om dat te doen. Tenminste, de vrouwen.'

'Dat kan ik me voorstellen, want die hebben geen betaald werk en hun mannen verdienen geld als water. Alles vanwege de olie. Nou, als ik weer thuis ben, dan ga ik een betaalde baan zoeken.'

'Je kunt een tijdje van je geld leven,' stelde Hanna voor. 'Je krijgt toch ook nog alimentatie?'

'Dat is beslist geen vetpot, en wat moet je de hele dag thuis doen?'

'Of vrijwilligerswerk.'

'Daar voel ik ook wel voor,' zei Loes. 'Maar dan moet er toch een basisinkomen zijn. Ik zal een betaalde baan moeten zoeken. Dat heb je er nou van, als je op je twintigste trouwt en je blijft tot je vijfenveertigste huisvrouw met een piepklein bijbaantje. Ik snap niet hoe anderen dat allemaal doen, zoals vrouwen die met kinderen achterblijven waar ze de kost voor moeten verdienen, of mannen, die zonder vrouw ineens heel het huishouden in de soep zien lopen. Want niet alleen vrouwen worden in de steek gelaten. Mannen net zo goed.'

'Het lijkt me heel verstandig, als je dat aanbod van je huisarts zou aannemen om wat gesprekken te hebben met andere gescheiden mannen en vrouwen. Je leert van elkaars ervaringen en je merkt dat je niet alleen bent met je probleem.'

'Zou je denken?' Loes dacht na. 'Misschien heb je wel gelijk. Maar ik zie er zo verschrikkelijk tegen op om heel mijn persoonlijke geschiedenis bij vreemden op tafel te gooien.'

'Jullie zitten toch allemaal in hetzelfde schuitje.'

'Ja, dat is zo. Maar als iedereen van die ellenlange zielige verhalen gaat houden, ben ik zo verdwenen.'

'Er is altijd iemand bij die de gesprekken in goede banen leidt,' meende Hanna.

'Ik zal er serieus over denken.' Loes begon er toch wel iets voor te voelen, hoewel ze dat niet direct zei. Ze liep tegen zo veel vragen en problemen op, dat het haar soms gewoon duizelde.

'Wil je nog een glas koffie?'

'Ja, lekker. Maar geen gebak meer. Eén stuk daarvan is genoeg.'

'Over twee dagen komt Louise het weekend thuis. Ze zal het leuk vinden om je te zien.'

'Ik ook, want zo vaak zie ik mijn naamgenoot niet. Wanneer heeft ze haar examens?'

'Volgend voorjaar, als alles goed gaat. Dan heeft ze vakantie nodig, zei ze, en ze wil daarna naar Nederland om te studeren. Wij hopen over twee jaar terug te komen. Voorgoed. Het leven gaat verschrikkelijk hard, Loes, voor je het weet ben je oud. Als je dat tenminste mag worden.' Ze dronk haar koffie op. 'Zullen we verdergaan, of zal ik de taxi bellen?'

'Laten we maar naar huis gaan. Ik heb voorlopig genoeg gezien.'

11

Aan de ene kant vond Loes het fijn bij Hanna en Bert, maar aan de andere kant miste ze veel.

Ze kon niet even op haar fiets springen om naar een winkel te gaan, of in haar auto stappen om levensmiddelen in te slaan. En zo was ze veroordeeld tot niets doen, en dat ging heel snel vervelen.

Hanna bestelde alle boodschappen telefonisch en die werden dan keurig thuis bezorgd. De wasserij haalde het vuile wasgoed op en bracht alles netjes schoon en gestreken terug. Een buitenlandse werkster kwam het huis schoonmaken en een tuinman zorgde voor het terras en de enkele boompjes die er stonden. Wat voor werk bleef er dan nog voor de vrouw des huizes over? Niets, toch?

Ook de zondag was heel anders dan Loes gewend was. Ze had gevraagd of ze met z'n allen naar een cd van een kerkdienst gingen luisteren. Maar Bert moest nog weg naar een afspraak. Louise wilde uitslapen, zodat Hanna en Loes de enigen waren die naar een preek luisterden.

'Mis je dat niet?' had Loes gevraagd. 'Je kunt hier niet zo makkelijk naar de kerk.'

'Dat is het verraderlijke van alles,' verklaarde Hanna. 'Je laat het zo gauw versloffen.'

'Ja, dat moet je nu allemaal zelf regelen, het wordt niet voor je in orde gemaakt.'

'Zo is het,' zei Hanna met een zucht. 'Iedereen heeft hier zijn eigen zondag. Voor de islamiet is het de vrijdag, voor de christen de zondag. Als je in de zakenwereld zit, is dat een behoorlijke handicap. Daarom moet Bert op zondag ook weleens ergens heen, daar is niets aan te doen.'

'Maar als Louise thuis is, kun je toch wel zeggen dat ze zich in jullie zondag moet schikken,' vond Loes.

'Je kunt wel zien...' Hanna hield verschrikt op, maar Loes snapte direct wat haar zuster wilde zeggen.

'Je kunt wel zien dat je zelf geen kinderen hebt,' maakte Loes de zin voor haar af.

'Nou ja.' Hanna wilde zich verontschuldigen. 'Dat flapte ik er ongewild uit. Neem me niet kwalijk. Maar het is zo moeilijk om zo'n meisje dat allemaal bij te brengen. Ikzelf kan het niet zo goed verwoorden en Louise zit onder het beluisteren van een cd met een kerkdienst te gapen en te slapen, of commentaar te geven, en dan is heel de sfeer weg.'

'Dat is nu de keerzijde van een goede betrekking in een vreemd land,' zei Loes. 'Ik snap heel goed waarom vader en moeder erg bezwaard waren dat jullie zo ver weg woonden.'

'Als ik heel eerlijk moet zijn,' zei Hanna, 'zou je er nooit aan moeten beginnen. Het lijkt zo mooi, een goede baan, geen financiële zorgen, een makkelijk leven. Maar je bent verstoken van je vrienden, en zo veel andere dingen waar je pas achterkomt als je er eenmaal bent. In Texas was het heel anders, daar konden we beter wennen. Maar in een islamitisch land blijf je een vreemde eend in de bijt.'

'Dat zal voor Louise dan ook wel tegenvallen,' meende Loes.

'Nee, dat gaat best. Ze gaat op een internationale school en daar heerst een streng regime. Het voordeel is dat ze daar haar talen leert spreken en algemene kennis opdoet. Maar christelijk onderwijs is hier niet. Een goede school kan heel positief bij de opvoeding helpen. Daarom voel ik me weleens heel schuldig aan wat we Louise onthouden door hier te gaan wonen. Je bent je man gevolgd, maar van tevoren kun je de problemen niet goed inschatten. En als je er eenmaal zit, is het moeilijk om alles op te geven. Gelukkig duurt het niet zo lang meer tot we weer teruggaan, omdat Bert pensioen krijgt.'

'Een gelovige opvoeding is een groot goed,' zei Loes. 'Je bent naar de catechisatie geweest, je hebt de kerkdiensten bezocht, de christelijke school met de Bijbelvertellingen en het samen zingen en bidden, daar blijft veel van hangen. De psalmen die je op school uit je hoofd hebt moeten leren, komen weer helemaal terug als je ze in de kerk zingt.'

'Ja dat was wat,' herinnerde Hanna zich.

'Iedere maandagmorgen werden we overhoord en wee je gebeente als je het niet op kon zeggen. Ik deed heel erg mijn best, want ik wilde graag een tien op mijn rapport.'

Het verdere van de zondag verliep rustig. Ze hadden samen naar de kerkdienst geluisterd, die Loes veel en Hanna weinig aansprak.

Zo merkte Loes dat het met haar zuster precies zo gegaan was als met haarzelf. Als je niet meer iedere week het evangelie kon horen, ging alles snel vervagen.

'Maar je kunt jezelf toch niet bekeren,' had Hanna tegengeworpen. 'Het moet je immers gegeven worden. Dat heb ik tenminste goed onthouden.'

'Hanna, als je zo lijdelijk gaat zitten afwachten, ben je niet goed bezig. Je moet erom bidden en de

Bijbel onderzoeken. Dat wil God zegenen.'

'Toch wacht ik alles maar rustig af, dat is wel zo makkelijk,' had Hanna zich ervanaf gemaakt.

Het deed Loes verdriet om dat te horen.

's Avonds in bed moest ze er steeds aan denken. Ze wist dat ze Hanna niets kon verwijten, want ze had alles ook zo beredeneerd.

Ze hoopte dat haar zus nog eens anders ging denken. Het enige wat ze kon doen, was voor haar bidden, en dat gaf haar rust. Want er was geen enkel mens op de wereld dat een ander mens kon bekeren. Je kon het geloof er niet in slaan. Dat was een eenzijdig Godswerk.

De dagen kabbelden rustig verder en Loes merkte dat het haar goeddeed. Ze kon zodoende de hectische toestanden van de laatste tijd een beetje relativeren. Ze hoefde zich geen zorgen te maken over de was, het eten, de boodschappen en wat niet al.

Verschillende keren ging ze met Hanna weg om dingen te bezichtigen of om zomaar te wandelen. Loes stond met open mond te kijken naar het Burj al Arab-hotel. Zoiets had ze nog nooit gezien. Het was het hoogste en enige zevensterrenhotel ter wereld en het rees op uit de zee met zo'n speciale vorm dat je er wel naar moest kijken.

Er was daar een restaurant onder water en ze

besloten er een keer heen te gaan om dat spetakel te zien. Hanna was er al eens geweest, maar voor Loes was alles gloednieuw.

Er was overal goud te koop, voor een prijs waar je in je eigen land alleen maar iets van zilver voor kon krijgen.

Ze stond een keer te kijken naar een mooie gouden ketting die versierd was met enkele Swarovski-kristallen.

'Zou je die willen hebben?' vroeg Hanna naast haar.

'Nee, hoor.' Loes wilde doorlopen, maar Hanna hield haar tegen.

'Deze ketting geef ik je graag cadeau. Ter vervanging van de zilveren ketting die je voor je vijfentwintigjarig huwelijk hebt gekregen. Die is toch terug naar Paul?'

'Ja, die heb ik van mijn hals gerukt en naar hem toe gesmeten. De ketting zal wel kapot zijn, ik heb hem niet meer gezien. Maar als ik bij het dragen van jouw cadeau steeds aan Paul moet denken, lijkt dat me ook niet zo leuk.'

'Denk dan maar dat het een verjaardagsgeschenk is, dat je nu alvast krijgt. Dat geeft betere herinneringen.'

Loes aarzelde nog, maar Hanna hakte de knoop door en kocht het collier. Ze liet het mooi inpakken en stopte het bij Loes in de tas.

'Je moet het van me aannemen,' zei ze vriendelijk. 'Ik wil je graag eens een plezier doen, want je hebt de laatste tijd zo veel meegemaakt.'

Loes wilde haar een knuffel geven en bedanken.

'Niet hier in de winkel, doe dat thuis maar,' zei ze.

'Hoezo?'

'Nou, openbare aanhankelijkheidsbetuigingen worden hier niet op prijs gesteld. Daar wordt raar naar gekeken. Zoiets zul je hier nooit zien. Zelfs al ben je familie, er wordt afstand gehouden.'

'Terwijl het toch zulke warmbloedige mensen zijn,' vond Loes. 'Ze hebben alles onder controle en dat vind ik knap. Nou, dan bedank ik je heel hartelijk als we weer terug in jouw huis zijn.'

Loes probeerde zelf een kaftan, die ze prachtig van eenvoud vond. Het was mooie, lichtblauwe stof, helemaal afgezet met een smal zilveren bandje.

'Ik kan me heel goed voorstellen dat de mensen in dit warme land ze graag dragen,' zei Loes toen ze uit de paskamer stapte om hem aan Hanna te laten zien. 'Het zit lekker, het knelt nergens, het is net of je niets aanhebt, nu ja, bij wijze van spreken dan. En toch schijnt hij helemaal niet door.'

'Dan houd je hem toch gewoon aan,' zei Hanna lachend. 'Dan is hij gelijk ingewijd.'

Terwijl Loes stond te aarzelen, pakte Hanna haar

rok en blouse en liep naar de kassa om ze te laten inpakken, in plaats van de kaftan.

'Is het echt niet gek?'

'Nee!'

Toen legde Loes er zich maar bij neer. Ze had inderdaad verschillende dames erin zien lopen.

'Er is ook een rode met een gouden rand,' zag Hanna. 'Die zou je ook wel staan.'

'Daar wil ik nog over nadenken. Ik ga hier niet al mijn geld stukslaan!'

Ze hadden de kleding mooi ingepakt in een fleurige tas met een strik.

Na het winkelen belde Hanna de taxi. Ze zouden samen op bezoek gaan bij een vriendin van Hanna, die ook heel wat was overkomen, zoals Hanna vertelde. Maar José, zoals ze heette, maakte eerst thee en zette een schaaltje amandelkoekjes op tafel.

Ze had hen beiden hartelijk begroet, blij dat er mensen kwamen met wie ze weer eens Nederlands kon praten. Ze wilde graag haar verhaal kwijt, want het was allemaal nog maar kort geleden gebeurd.

Loes keek voorzichtig wat rond. Het huis was kleiner en niet zo luxueus als bij Hanna. José had in het onderwijs gezeten en toen ze een advertentie had gelezen dat een ouderpaar in Dubai een onderwijzeres zocht die goed Engels sprak om hun kinderen les te geven, had ze daarop gereageerd. Op internet had ze informatie ingewonnen en het leek haar aantrekkelijk om erop in te gaan.

Zo was ze aan haar werk begonnen. De kinderen, twee jongens en een meisje, waren keurig en beleefd, maar ook afstandelijk en ontzettend verwend.

Toen ze er een jaar werkte, had ze er een man ontmoet. Hassan heette hij. Het was een vriend van de familie. Hij was knap en charmant en begon José het hof te maken, want, zei hij: 'Ik houd van zelfstandige, ontwikkelde vrouwen.'

José wilde eerst de kat eens uit de boom kijken en zich niet direct in een liefdesaffaire storten, maar ze begon hoe langer hoe meer gevoelens voor hem te krijgen. Hij overlaadde haar met cadeaus en etentjes en ten slotte zei ze 'ja'.

Hij wilde snel trouwen, zodat ze altijd samen konden zijn. Tot over haar oren verliefd begon ze haar papieren in orde te maken. En dat was nog een heel gedoe. De Nederlandse gezant nodigde haar uit voor een persoonlijk gesprek. Hij vertelde haar dat veel huwelijken van buitenlandse meisjes met een Arabische man op een teleurstelling uitliepen. Arabische mannen waren heel anders opgevoed, hun cultuur was anders. En dan was er nog iets dat hij heel beslist onder haar aandacht wilde brengen: een moslim mag volgens de Koran vier vrouwen hebben. Niet dat ze dat allemaal deden, maar het was wel een mogelijkheid.

Toen José had beweerd dat Hassan dat nooit zou doen omdat ze van elkaar hielden, had hij alleen maar betekenisvol geglimlacht. 'Zeg nooit dat je niet bent gewaarschuwd!'

Loes voelde op haar klompen aan welke richting het verhaal uit zou gaan. Natuurlijk had hij er een vrouw bij genomen.

'Wilden ze ook dat je moslima werd?' vroeg ze nieuwsgierig. 'En welk geloof had je zelf?'

'We deden thuis nergens aan. Dus dat was het grootste probleem niet,' zei José. 'Ik mocht er nog even over nadenken of ik me wilde bekeren en als ik toestemde, zou dat gelijk geregeld worden met ons huwelijk.'

Het huwelijk naderde snel. Vooral omdat ze zo veel voorbereiding nodig had, vloog de tijd. Niets was goed genoeg voor de bruid. Ze mocht een prachtige witte japon uitzoeken, haar familie kwam over en iedere avond was er wel iets te vieren.

De trouwdag zelf was een sprookje. De huwelijks-ceremonie was tamelijk eenvoudig, maar het diner was overdadig, met talloze gasten die hun ogen uitkeken.

Na het feest gingen ze op huwelijksreis om elkaar beter te leren kennen en aan elkaar te wennen. José werd door haar man op handen gedragen.

De eerste jaren van hun huwelijk waren buitengewoon goed, al had Hassan wel graag gezien dat ze zwanger werd, want hij verlangde naar een zoon.

Maar hij scheen zich erin te schikken, want hij praatte er niet meer over. Hij bleef net zo verliefd als zij, dus hun geluk duurde voort.

Toen ze vijf jaar getrouwd waren, ging hij op zakenreis. Dat deed hij wel meer en daar zocht José niets achter. Maar toen hij thuiskwam en zij hem tegemoet liep om hem te verwelkomen, stapte er een jonge vrouw uit de auto. De vele koffers die ze bij zich had, deden het ergste vermoeden.

Met enkele woorden vertelde hij dat hij er een vrouw bij had genomen. Ze waren al getrouwd.

Toen Loes dat hoorde, sloeg ze haar hand voor de mond. Wat leek dat verhaal veel op haar eigen situatie. Met dien verstande dat Paul eerst van haar moest scheiden voor hij met Eline in het huwelijksbootje kon stappen, als hij dat al van plan was. José werd opeens voor een voldongen feit gesteld. Haar man nam er gewoon een vrouw bij. 's Lands wijs, 's lands eer.

'Hoe heb je daarop gereageerd?' vroeg ze nieuwsgierig. 'Heb je met de situatie ingestemd?'

'Natuurlijk niet.' De stem van José klonk verontwaardigd. 'Maar mijn gedachten gingen direct naar de woorden van de Nederlandse gezant. Ik was gewaarschuwd! Ik hoor het hem nog zeggen: 'Je verwacht het niet. Je denkt dat je liefde uniek is en dat hij zoiets nooit zou doen. Dat belooft hij zelfs, maar de cultuur en de opvoeding zijn hardnekkig. Voor je het weet, komt hij met een tweede vrouw aanzetten."

'En toen?'

'Ik heb hem voor de keuze gesteld: zij eruit of ik eruit. Daar moest hij over nadenken, zei hij. Maar dat was natuurlijk onzin, want alles was al in kannen en kruiken. Die tweede vrouw woonde zolang in het tuinhuis, maar hij ging daar 's nachts naartoe. Want ik wilde hem niet meer.'

De tranen sprongen Loes in de ogen. Wat een ellende allemaal. Wat was ze blij om in een land te wonen waar zulke dingen bij de wet verboden waren. Je had in ieder geval het recht aan je kant.

Dat er in het geheim veel verkeerde dingen waren, was een andere zaak. Het kwaad werd in ieder geval niet gelegaliseerd.

'En hoe gaat het nu verder?' vroeg Loes vol medeleven.

'Het is al afgerond,' zei José. 'Ik ben weer alleen. Hij gaat verder met zijn tweede vrouw. Maar ik weet niet of ik in dit land wil blijven. Eigenlijk ben ik al bezig om te kijken waar ik in Nederland weer zou kunnen werken. Maar dat gaat niet allemaal even makkelijk. Ik heb hier nu een huis, maar ik heb destijds met mijn huwelijk al mijn schepen achter me verbrand. Je verwacht niet zo snel weer op de keien te staan.'

'En je familie? Heb je daar veel steun aan?'

'Ja, die zijn voor me op zoek naar een baan en een huis. Maar ze kunnen natuurlijk ook niet alles zo snel regelen.'

'Dat begrijp ik, want ik zit in een soortgelijke situatie. Ik heb ook een baan en een huis nodig. Die liggen allebei niet voor het oprapen, want je wilt toch niet alles aannemen wat huis en baan betreft.'

'Dat ben ik helemaal met je eens. Het leven kan raar lopen en helemaal niet brengen wat je had verwacht. Maar dat wil nog niet zeggen dat je overal genoegen mee neemt.'

Later, toen ze weer bij Hanna thuis waren en ze samen met Bert aan een glas fris met tinkelende ijsblokjes zaten, vertelde Bert dat hij niet graag al die vrouwen de kost zou willen geven die in zo'n situatie verzeild waren geraakt.

'Het is zo'n diepgewortelde cultuur, daar kun je werkelijk niet tegen opboksen. Je moet als vrouw niet denken dat zoiets zomaar verandert. Zelfs al wordt het met de hand op het hart beloofd. Die mannen zitten zo vast aan de gewoontes van hun familie dat ze uitgesloten zouden worden als ze hun eigen weg gaan.'

Aan de ene kant leek Dubai een hypermoderne wereldstad, maar aan de andere kant zaten ze nog gevangen in heel ouderwetse tradities. Loes was blij dat ze er niet woonde.

12

Loes had in het vliegtuig een stoel bij het raam en bij het opstijgen zag ze Dubai kleiner en kleiner worden: de wolkenkrabbers, de Burj al Arab, de prachtig aangelegde stranden en de palmvormige eilanden. Het leek een sprookje, maar Bert had haar verteld dat het emiraat ook last had gehad van de wereldwijde kredietcrisis. Er was heel veel gebouwd met geleend geld en daar moest toch ook een oplossing voor gezocht worden.

De vakantie was ten einde. Het had haar lichamelijk goed gedaan. Ze voelde zich lekker uitgerust en in haar hoofd was dat ook wel te merken. Ze was in een heel andere omgeving geweest en dat was beslist verfrissend.

Het contact met Hanna, Bert en Louise was verstevigd en dat was alleen maar positief.

Wel vond ze het jammer dat Hanna zo ver van haar opvoeding afgedreven was. Een echt serieus gesprek over het geloof was niet mogelijk geweest.

Loes dacht met schaamte aan alle zorgen die hun ouders over hen hadden. Ze was er vaak thuis op aangesproken en dan had ze de woorden van haar ouders weggewuifd.

Vlak voor haar vertrek had haar zuster een pakje in haar tas gestopt. Het was verpakt in glanzend papier met een mooie strik eromheen. 'Hier. Dan kun je nog eens aan me denken.'

'Nou, dat doe ik toch wel. Heel, heel hartelijk dank voor alles.'

Uit nieuwsgierigheid had ze een stukje papier los-gepeuterd en toen ze de rode, glanzende zijde zag, begreep ze dat haar zuster de prachtige goudgebies-de kaftan voor haar had gekocht die ze zo mooi had gevonden.

De passagier die naast haar zat, was een buitenge-woon nerveuze man. Hij bladerde in een tijdschrift, legde dat weer weg, begon er opnieuw in, probeer-de langs haar heen door het raampje te kijken en ging om de haverklap in zijn stoel verzitten. Hij had een Engelse krant bij zich, dus Loes veronderstelde dat hij een Engelsman was.

'Bent u niet bang om te vliegen?' vroeg hij ten slotte, zoals verwacht in het Engels.

'Bang niet, maar ik sta wel liever met mijn voeten op de grond.' De Engelse taal ging haar goed af, ze had de laatste tijd natuurlijk flink kunnen oefenen.

'U wel dan?'

Hij knikte en vertelde haar dat hij een tijdje geleden in een vliegtuig had gezeten dat een noodlanding moest maken. Er was een behoorlijke paniek uitgebroken toen ze moesten landen op een baan die volgespoten was met schuim.

'Nee, dat lijkt me ook geen leuke landing,' leefde Loes mee. 'Eigenlijk moet je in een vliegtuig zitten met een reddingsboei om, voor als je in het water zou vallen, en een parachute voor een crash in de lucht.'

'Aan allebei zou ik niets gehad hebben,' zei de man.

'Nee, dat is zo. Dan had u een zuurstofmasker paraat moeten hebben. Hoe is het verdergegaan toen het vliegtuig in het schuim terechtkwam? Hebt u er nog wat aan overgehouden?'

'Lichamelijk niet. We zijn er met een glijbaan uit gekomen. Maar de schrik zit er nog goed in. Eerlijk gezegd vlieg ik niet meer zo graag. Maar je kunt niet overal met de trein of de auto naartoe reizen. Er zit niets anders op dan af en toe in het vliegtuig te stappen.'

De man werd rustig na dit gesprek, misschien omdat hij even zijn zorgen kwijt kon. Ze bleef met hem praten omdat ze heel erg de kriebels kreeg van zijn zenuwachtige gedoe.

Ze dacht terug aan de eerste keer dat ze had gevlogen. Dat was in Teuge geweest, bij Apeldoorn in de buurt. Paul en zij wilden een bezoek brengen aan palies Het Loo, maar dat was op die maandag gesloten. Toen waren ze doorgereden naar Teuge om een vliegtochtje te maken, zodat ze het paleis vanuit de lucht konden bekijken.

Stijf van angst had ze erin gezeten, terwijl Paul gezellig had zitten praten met de piloot, die allerlei bijzonderheden aanwees. Man, houd toch je handen aan het stuur, had ze gedacht. Maar de piloot was juist aan het uitleggen dat zo'n klein vliegtugje bijna altijd een noodlanding kon maken. Het was veel veiliger vliegen dan met die grote straalvliegtuigen.

Dat geloofde ze graag, maar ze wilde toen maar één ding: zo snel mogelijk weer vaste grond onder haar voeten.

Later, toen ze verschillende keren had gevlogen, begreep ze dat de piloot van Teuge gelijk had gehad. Als er met zo'n groot passagiersvliegtuig iets gebeurde, was er vaak geen ontsnapping meer mogelijk. Soms verdween een vliegtuig in de golven van de oceaan en vaak was er dan niemand meer terug te vinden.

'Ze zeggen dat er met autorijden meer ongelukken gebeuren dan met vliegen,' hoorde ze de man naast haar zeggen. Ze knikte naar hem, want hij was alleen maar bezig om zichzelf gerust te stellen en zolang hij op die manier zichzelf oppepte, hoefde zij het niet te doen.

Haar vader had beloofd dat hij, samen met haar moeder, haar van Schiphol zou komen halen.

'Ik kom wel met de Schipholbus,' had ze gezegd, 'blijf maar rustig thuis. Het is helemaal geen probleem voor me.'

Maar haar vader had erop gestaan om te komen. Waarschijnlijk was hij bezorgd dat ze misschien zou flauwvallen. Maar tot haar grote vreugde had ze tijdens de logeerpartij helemaal geen last gehad van hyperventilatie. Ze had er wel af en toe aan gedacht, maar het was niet één keer gebeurd. Het stelde haar gerust en gaf haar meer zelfvertrouwen.

Toen ze haar vader op Schiphol zag staan, met zijn witte haar en donkeromrande bril, bleef ze even naar hem staan kijken en maakte de ontroering zich van haar meester. Toen hij haar zag aankomen, lichtten zijn ogen helemaal op.

'Dag meiske, heb je een goede reis gehad?' Ze sloeg haar armen om hem heen en voelde zich even weer het kleine meisje van vroeger en niet de vijfenveertigjarige vrouw van nu.

'Buitengewoon goed. Wat lief dat u me komt

ophalen. Thuis alles goed?'

'Moeder had eerst mee willen komen, maar ze was erg vermoeid, dus heb ik gezegd dat ze maar lekker een poosje in bed moest blijven. Dan kan ze wat bijslapen. Ik vind het ook gezellig om eens met je te babbelen onderweg.'

Oei, dacht Loes. Wat zou hij allemaal te vertellen hebben dat hij dat zo speciaal zegt? Enfin, afwachten maar.

Ze liepen samen naar het parkeerterrein en even later waren ze op weg naar huis.

'Die vermoeidheid van je moeder komt omdat haar schildklier niet goed werkt,' vertelde vader. 'Ze heeft het altijd koud en dat heeft er ook mee te maken. De dokter wilde haar eens goed onderzoeken, want je gaat zo gauw denken dat het iets ernstigs is. Als je altijd moe bent, is dat beslist niet goed.'

'En nu?' vroeg Loes. 'Wat doen ze eraan?'

'Ze heeft tabletjes en er is gezegd dat ze zich over een paar weken een stuk beter zal voelen.'

'O, gelukkig,' zei Loes. 'Dan is het vrij eenvoudig te verhelpen.'

'Ja, maar we zijn wel aan het uitkijken naar een appartement voor ouderen. We worden er ook niet jonger op en het huis is eigenlijk veel te groot voor ons. En wat denk je van de tuin? Daar is immers ook altijd werk in.'

'Komt dat nu opeens door die schildklier?'

'Nee, we hebben het er al vaker over gehad. Als je ouder wordt, heb je ook niet zo'n zin meer om de hele dag in en om het huis bezig te zijn. We verlangen echt naar een wat makkelijker huis, alles gelijkvloers en overal lekker warm te stoken. Zonder een grote zolder, die je toch af en toe moet schoonmaken.'

'Ja, die staat vol met afgedankte meubels; daar kun je iemand misschien nog wel blij mee maken. Dus het huis gaat in de verkoop?'

'We hebben al een makelaar ingeschakeld, maar het is een bar slechte tijd nu.'

'Ja, dat is zo.'

Loes zweeg een tijdje. Ze liet haar gedachten gaan over de plannen van haar ouders.

'Voor mij is het veel te duur,' zei ze ten slotte. 'En bovendien, wat moet ik met zo'n groot huis?'

'Natuurlijk is het voor jou te groot,' zei haar vader. 'Dat is ook niet in ons hoofd opgekomen. Weet je, Loes, Hanna en Bert hebben er al naar geïnformeerd. Ze hopen met een jaar of twee terug te komen en dan zouden ze het van ons kunnen kopen of huren.'

'En jullie zelf dan?'

'Het liefst zouden we een appartement gaan

huren, als dat mogelijk is. Op je oude dag iets kopen vinden we niet zo aantrekkelijk.'

'Ik zie vaak genoeg advertenties voor huurappartementen,' zei Loes. 'Trouwens, ik heb zelf ook nog geen huis.'

'Ja, daar wil ik het nog over hebben,. Ik moet je iets vervelends vertellen.'

Daar zullen we het hebben, dacht ze. Nu komt de aap uit de mouw. Hij had beslist dat doel voor ogen toen hij besloot mij op te halen. 'Vertel het maar.'

Haar vader aarzelde, maar Loes drong aan om zich uit te spreken.

'Paul is aan de deur geweest. Hij wist niet waar je was, of waar hij je kon bereiken.'

'En wat had hij?'

'Hij wil in het huis trekken met Eline. Jij hebt je aandeel gehad en het huis is van hem. Ze willen niet langer wachten.'

'Maar ik heb nog niets! Ik kan toch niet bij het Leger des Heils slapen?'

'Ze zijn samen al in het huis bezig, Loes.'

'En ik dan?' vroeg Loes verdrietig aan haar vader.

Maar het drong tot haar door dat Paul volledig in zijn recht stond. Het huis stond op zijn naam, ze had het geld gekregen en ze was met vakantie gegaan zonder hem iets te laten weten. Ze had haar ogen gesloten voor het feit dat ze moest verhuizen. Ze kon dat niet langer tegenhouden, hoe graag ze het ook zou willen.

Haar vader bestudeerde haar gezicht terwijl ze voor een stoplicht stonden te wachten.

'Je snapt het toch wel?' vroeg hij.

Loes knikte instemmend. Maar het intens verdrietige gevoel, dat ze steeds op een afstand had weten te houden, vervulde haar helemaal, en ze vocht tegen de opkomende tranen.

'Het is nu zo verschrikkelijk definitief,' zei ze zacht.

En terwijl ze dacht: wat nu, zei haar vader vriendelijk: 'We laten je niet in de steek hoor, Loesje.' Hij klopte even op haar arm. 'Je gaat gewoon met ons mee naar huis. We hebben van Paul een adres gekregen waar je zeker zult kunnen slagen. Het is in de particuliere verhuur, het staat leeg en het is helemaal gestoffeerd. Overal ligt laminaat en er hangen overgordijnen. Ik heb afgesproken dat we morgen gaan kijken.'

Loes slaakte een zucht van verlichting. Gelukkig, ze had waarschijnlijk onderdak. Dan kon ze altijd nog verder kijken.

'Waar is het ergens?' vroeg ze nieuwsgierig.

'Het is in het nieuwe gedeelte. Kamperfoeliestraat nummer drie. Het is een woonproject met allerlei soorten huizen door elkaar om het wat speelser te maken. Ouderenwoningen, appartementen, van alles wat.'

'Weet u zeker dat het in de particuliere sector is?'

'Ja, het is geen sociaal woningbouwproject. Er heeft een ouder echtpaar in gewoond, maar de man kreeg een beroerte en nu zijn ze naar een verzorgingshuis vertrokken. Dat is alles wat ik ervan weet.'

'Dat zal dan wel tegenvallen met de stoffen. Alles is vast donker en massief,' veronderstelde Loes. 'Trouwens, hoe kwam Paul aan dat adres? Toch niet van de ouders van Eline, hoop ik.'

'Nee, de ouders van een collega van Paul. Hij zat een beetje met alles in zijn maag, want hij wil graag dat de nieuwe huurder de stoffering overneemt.'

'Nou, ik kijk wel. Al is het maar voor tijdelijk. Ik zal toch wat moeten.'

'O ja, Mieke Zwaan heeft ook gebeld. Of je met haar contact wilt opnemen als je terug bent. Het is dringend.'

Loes schoot in de lach. 'Ik kan gewoon niet weg, zie je wel.'

13

Loes werd wakker na een lange, droomloze slaap. Ze had als een blok geslapen en dat had haar goed gedaan. Ze keek de kamer rond en haar oog viel op het kleine vaasje met bloemen dat haar moeder als welkom voor haar had neergezet. Het gefilterde ochtendlicht viel door het gordijn naar binnen. Er was een nieuwe dag begonnen.

Deze dag stond er van alles te gebeuren. Ze zou na het ontbijt eerst Mieke Zwaan bellen en daarna zou ze kijken of het aangeboden huis iets voor haar was. Ze had er niet zo'n goed gevoel bij, maar misschien viel het mee. Het feit dat haar vader mee zou gaan, beurde haar op. Ze was natuurlijk wel een zelfstandige vrouw die knopen kon doorhakken, maar enig advies was niet verkeerd.

Ten slotte moest ze haar auto ophalen in haar oude huis en ook de sleutel van de aangeboden woning, die Paul in zijn bezit had. Ze zag er wel tegen op, maar ze begreep best dat ze de confrontatie met Paul moest aangaan. Ze kon hem niet haar verdere leven uit de weg gaan. Er zouden beslist nog dingen af te handelen zijn en hoe eerder ze over die drempel heen was, hoe beter. Door haar vakantie had ze toch een beetje afstand kunnen nemen, merkte ze, en dat viel niet tegen. Hij zou helemaal uit haar gedachten moeten verdwijnen, al wist ze nog niet of dat kon.

Toen ze Mieke belde, vroeg die eerst of ze een goede vakantie had gehad en of er nog veel aanvallen van hyperventilatie waren geweest.

'Niet één. Hoe bestaat het, hè?' zei Loes opgewekt. 'Ik kan het zelf nauwelijks geloven. Ik zat erop te wachten en ze kwamen niet.'

'Nou zie je maar dat het voor het grootste deel psychisch is. Je had zo veel nieuwe dingen te verwerken dat de rest wat op de achtergrond kwam. Wat fijn voor je. Maar wat ik je wil vragen, Loes: ik zit vreselijk onthand, want mijn secretaresse is met ziekteverlof en nu loopt de boel zo'n beetje in het honderd. Ik weet niet hoe ik dit zo gauw moet oplossen. Iemand via een uitzendbureau is natuurlijk een mogelijkheid, maar ik zou graag een vertrouwd iemand hebben. Nu weet ik dat jij werk nodig hebt. Zou je er iets voor voelen? Het is voor hele dagen en je wordt betaald volgens de geldende cao.'

Dat was even een aanbod. Loes werd er stil van. Maar het reisbureau dan, en de Wereldwinkel?

'Voor hoelang is het?'

'Als het goed bevalt, is het voor vast. Mijn secretaresse is zwanger van een tweeling en moet veel rust houden vanwege een extreem hoge bloeddruk. Ze heeft besloten dat ze na de bevalling wil thuisblijven om voor de kinderen te zorgen. Dus ze was toch niet teruggekomen. Maar dat ze zo snel weg zou gaan, had ik niet verwacht.'

Loes zweeg even. Haar hart maakte een klein sprongetje van vreugde. Nu zou ze opeens een baan hebben. Wat fantastisch!

'Wat denk je ervan?' klonk het aan haar oor.

'Mieke, ik vind het geweldig. Wat buitengewoon aardig van je dat je aan mij hebt gedacht. Wanneer kan ik beginnen?'

Mieke lachte. 'Nou, zo gauw mogelijk. Als je je zaakjes hebt geregeld. Bij het reisbureau heb je natuurlijk een opzegtermijn en met de Wereldwinkel kun je vast iets anders afspreken.'

'Dat denk ik ook wel. Ik kom zo snel mogelijk bij je langs. Maar ik moet vandaag nog naar een huis kijken. Dat zal wel niets worden. Twee keer geluk op een dag zou echt te veel van het goede zijn.'

'Dat weet je niet. Waar staat het huis, is het koop of huur?'

'Kamperfoeliestraat. Particuliere huursector.'
'O, die ken ik wel. Volgens mij prima woningen! Veel succes.'

Met een blij hart stapte ze een tijdje later bij haar vader in de auto. Eerst naar haar oude huis. De auto van Paul stond voor. Binnen waren alle vitrages eraf gehaald.

Eline deed de voordeur open toen ze aangebeld had. Loes' ogen werden automatisch naar de bolle buik van Eline getrokken.

Daar zat het kind van Paul, dat Loes hem niet had kunnen geven.

Eline zag de ogen van Loes afdwalen en haar gezicht werd vuurrood.

Loes zag dat ze zich heel ongemakkelijk voelde, maar ze trok zich er niets van aan. Hoewel het wel een rare ervaring was om aan te bellen bij je eigen huis.

In de gang verscheen Paul. 'Kom binnen,' zei hij, en hij opende royaal de deur.

'We komen alleen de sleutels ophalen van het huis in de Kamperfoeliestraat. En we willen weten met wie we contact moeten opnemen om de zaak verder af te handelen,' probeerde Loes zo neutraal mogelijk te zeggen. 'Verder wil ik mijn auto meenemen, die hier nog in de garage staat.'

Paul liep naar binnen, Eline was al snel naar de keuken gegaan. Hij kwam met de sleutels en een handvol papieren terug. 'Hier staan de telefoonnummers op om alles te regelen met mijn collega en zijn ouders. Die betalen nog tot het eind van de maand de huur. Je moet natuurlijk toestemming krijgen van de verhuurder. Maar een belangrijk punt is dat je wellicht de stoffering en dergelijke wilt overnemen.'

Loes had er helemaal geen zin meer in. Er waren zoveel mitsen en maren dat ze zich onder druk gezet voelde. Maar haar vader nam het luchtiger op. 'Kom op, Loes. Neem je auto mee, dan gaan we eropaf. Er zal toch het een en ander moeten gebeuren, wil je niet op straat komen te staan.'

Dat is waar, dacht ze. Het gaat nu eenmaal niet vanzelf.

Ze liep naar de garage en voelde zich overspoeld door verdriet en heimwee naar haar oude huis, waar ze zo gelukkig was geweest.

Zonder startproblemen, die ze eigenlijk wel een beetje had verwacht, kon ze de garage uit rijden. Zo, dat viel ook weer mee.

De Kamperfoeliestraat was een mooie, ruime straat met veel groen en jonge bomen. Er stonden gewone gezinshuizen, maar ook huizen met een plat dak:

begane grond en één verdieping. Het was heel speels opgezet. Nummer drie was het benedenhuis van een woonblok. Het waren huizen met kunststof kozijnen en dubbelglas, zo op het eerste gezicht.

Ze stapten uit en keken belangstellend rond.

'Dat ziet er niet gek uit,' zei Loes.

Haar vader knikte goedkeurend. 'Nee, het is beslist geen achterstandswijk. Het lijkt me hier goed wonen. De achterkant is op het zuiden en er is een klein tuintje waar je lekker in de zon zou kunnen zitten. Laten we maar naar binnen gaan, dan weten we gelijk hoe het eruitziet.'

Loes haalde de sleutel uit haar tas en stak die in het slot. Ze stapten de gang in en ze keek nieuwsgierig rond. Er hing echt de muffe lucht van een onbewoond huis. Maar daar moest ze doorheen kijken. Of ruiken, eigenlijk.

De vloer in heel het huis bestond uit laminaat. Het was van een prachtige kwaliteit. Licht met een grijswitte vleug.

De overgordijnen waren gebroken wit en in plaats van vitrages waren er lamellen bevestigd. Alles was wit of gebroken wit. Zelfs de keuken.

'Nee maar, dat is even een meevaller,' zei Loes enthousiast. 'Ik had echt een heel ander idee van wat ik hier zou aantreffen.' Zelfs de lampen waren blijven hangen en die pasten mooi bij het geheel.

'Niet gek, Loes, niet gek,' zei haar vader terwijl hij overal de lampen aan- en uitdeed en de kranen probeerde. Het huis bestond uit een grote doorzonkamer, keuken, badkamer met ligbad en toilet, een extra toilet, een flinke slaapkamer en een heel klein kamertje als logeer- of rommelkamer.

'Dit is nou gewoon een huis om verliefd op te worden,' zei Loes enthousiast.

'Nu begrijp ik dat de vorige bewoners heel graag de stoffering willen laten overnemen. Ik vond het eerst nogal een flink bedrag, maar dat is het waard. Ik zou het zelf niet beter kunnen aankleden. Mijn spullen kunnen er zo in. Jammer dat er geen garage bij is.'

'Je kunt niet alles hebben Loes. Je auto went er wel aan om buiten te staan. Nu nog naar het administratiekantoor om te informeren of je het huis kunt huren.'

'Ik hoop van harte dat ik dit huis krijg. Maar ik zal heus de enige niet zijn die dat graag wil,' zei Loes bezorgd.

Nu ze het huis had gezien, wilde ze maar één ding: het huren en er gaan wonen.

'Dat denk ik ook wel.' Haar vader deelde haar zorgen. 'Maar je hebt wel het voordeel dat je in een noodsituatie zit. Je staat gewoon op straat, moet je maar denken. Het prettige van huren is ook dat je niet al je centjes kwijt bent. Met kopen ligt dat heel anders. Weet je wat: ik ga naar huis, dan kan ik moeder op de hoogte stellen hoe het eruitziet en dan ga jij langs het kantoor om te zien of je een overeenkomst kunt sluiten.'

Maar toen Loes het makelaarskantoor binnenstapte en uitlegde wat ze kwam doen, werd haar gezegd dat dat zomaar niet ging. Ze moest een afspraak maken met de heer Donker, maar die was er vandaag niet. Ook moest ze allerlei papieren invullen, want ze stond nog niet eens ingeschreven.

En dat ze een noodgeval was, wilden ze best aannemen, maar er waren zo veel mensen die om een huis stonden te springen. Het was nog verhuurd tot het eind van de maand, zo'n tweeëenhalve week om precies te zijn, dus het was nog van het echtpaar dat vertrokken was en die wilden graag het een en ander afronden. Wist ze dat?

Met tranen in de ogen en een afspraak met de heer Donker ging Loes naar haar ouderlijk huis terug. Dat viel even tegen. Ze had nog nooit met zulke dingen te maken gehad, dus ze had zich er nooit mee beziggehouden. Haar moeder wist haar wat te kalmeren. Ergens zou voor haar best een huis zijn. Als het ene niet lukte, dan maar een andere mogelijkheid proberen. Ze kon toch zolang bij haar ouders blijven.

Maar Loes worstelde met haar boze gedachten. Als Paul niet op een ander verliefd was geworden, had ze nog gewoon een man gehad en een huis. Als er een kind was geweest, dan... ja, dan was alles anders geweest.

'Ons leven wordt door God bepaald,' zei haar moeder. 'Het is net als een borduurwerk. Wij zien de lelijke achterkant en de loshangende draden. Maar God ziet de voorkant en hoe het moet worden.'

Loes schaamde zich dat ze zo boos was geworden. Maar ze had de laatste tijd ook zo verschrikkelijk veel te verwerken gehad.

Ze ging vroeg naar bed. In haar slaapkamer stond ze nog even naar buiten te kijken voor ze de gordijnen dichtschoof. Heldere sterren twinkelden aan de hemel.

'O, God,' bad ze in haar hart. 'Vergeeft U me mijn boosheid en mijn ongeduld. Geeft mij het vertrouwen om op U te wachten. Ik had het zo graag anders gewild. Als dit huis niet voor mij is, geeft U me dan alstublieft een huis waar ik kan wonen. Om Jezus' wil, Amen.'

Het gebed luchtte haar op. Er kwam vrede in haar hart.

Ze was stipt op tijd voor de afspraak met meneer Donker.

Hij deed zijn naam eer aan. Hij had een donker kostuum, donker haar en een bril met een donkere rand.

Zijn kantoor was heel eenvoudig, zelfs sober, zag ze, terwijl ze plaatsnam op de stoel die hij haar had aangewezen. Zelf ging hij achter zijn bureau zitten en ritselde met de papieren.

'Juist ja,' zei hij, 'u hebt een urgentieverklaring voor een huis. Hoe komt dat zo? Waar woonde u voorheen?'

Loes vertelde het hem en toen ze er aan toevoegde dat haar ex-man met zijn nieuwe vriendin in haar oude huis woonde, keek hij haar belangstellend aan.

'Het is misschien een impertinente vraag, maar waarom bent u bij uw man weggegaan?'

Het was alsof Loes een ijskoude douche over zich heen kreeg. Ze schrok ervan. Nu nog mooier! 'Pardon?' vroeg ze nadrukkelijk. 'Dat is privé.'

'Dat begrijp ik wel,' zei hij. 'Sorry dat ik het vroeg.'

Loes keek hem aan en besloot dat ze het toch wel kon vertellen. ' Ik ben niet weggegaan,' zei ze kort. 'Ik ben verlaten.'

'Verlaten?' vroeg de man, alsof hij er niets van begreep.

Toen vertelde Loes hem in grote lijnen waarom ze op straat stond en een huis nodig had. Ze sprak geen kwaad van Paul, want daarmee zou ze ook zichzelf naar beneden halen, en dat wilde ze niet.

Maar in haar verhaal hoorde de man tegenover haar de tragiek van degene die voor hem zat. Hij stond op. 'Een ogenblik,' zei hij en hij verliet de kamer.

Loes keek hem verbaasd na.

Wat nu weer?

Even later was hij weer terug. Hij poetste zijn bril met een papieren zakdoekje en ging zitten. 'Excuseert u mij. Mijn vrouw is een paar maanden geleden bij me weggelopen,' zei hij.

Loes schrok. Dat had ze niet verwacht. Deze man was net zo afgedankt als zijzelf.

'Het spijt me voor u,' zei ze meelevend.

'Ze had gewoon een ander,' vertelde hij. Zijn stem klonk bitter. 'We zijn nog volop bezig met de scheiding. Ik vind het verschrikkelijk, maar nu zou ik haar voor geen goud terug willen. Ze vecht om ieder kopje, schoteltje en vaasje. Ze wil me helemaal kaalplukken, zegt ze.'

'Hoelang was u getrouwd?'

'Vijf jaar,' zei hij, 'en nu is ze weg.'

'Ik was vijfentwintig jaar getrouwd,' zei Loes. 'Dat is een kwart eeuw. Maar hoe kort of lang ook, het is en blijft pijnlijk.'

Hij snoot zijn neus en werd opeens weer de zakelijke man die hij eerst was. 'We vullen de formulieren in, ik ga het bespreken en u hoort zo spoedig mogelijk van ons.'

Hij stak zijn hand uit. 'Tot ziens. Het feit dat u alles wilt overnemen van de vorige bewoners is in uw voordeel, maar ik beloof niets.'

14

Het waren onzekere dagen voor Loes, maar gelukkige had ze genoeg afleiding dankzij de baan die Mieke haar had aangeboden. Ze had nu weliswaar nog geen inkomen, maar wel een flink bedrag op de bank. Maar ze zag het niet zitten om daar rustig van te leven tot het helemaal op was.

'Anders moet je naar de bijstand,' had Mieke gezegd. Maar Loes had haar duidelijk gemaakt dat ze helemaal niet van plan was om een uitkering aan te vragen. Dat was natuurlijk wel een goede overbrugging als je als vrouw met een paar kinderen in de steek was gelaten en je totaal geen financiële reserve had. Als je bovendien jarenlang uit het arbeidsproces was geweest, viel het niet mee een betaalde baan te vinden. Maar Loes zat niet op de armoedegrens. Ze wilde geld hebben dat ze met werken had verdiend. En ze moest natuurlijk altijd geld achter de hand hebben om een nieuwe auto te kopen als de oude te veel ging kosten aan reparaties.

Gelukkig kon ze goed met een computer overweg. Opgewekt maakte ze haar opwachting bij Mieke.

Ze hadden op een zaterdag afgesproken, want dat kwam voor Mieke makkelijk uit. Gelijk toen ze binnenkwam, zei Mieke: 'Je ademt weer verkeerd. Het zit heel hoog in je borst. Doe je je oefeningen nog wel?'

'Nee,' zei Loes beschaamd. 'Het gaat zo goed, dan denk ik dat het niet nodig is.'

'Nou ja,' zei Mieke. 'Als je maar weet wat je doen moet als de paniek toeslaat.'

Loes knikte. 'Natuurlijk weet ik dat. Maar het is toch een goed teken dat ik er bijna nooit meer last van heb?'

Mieke knikte en vertelde dat een accountantskantoor de financiële kant voor zijn rekening nam. 'Dat deed mijn man altijd, daar was hij heel goed in,' zei ze. 'Maar na zijn overlijden zat ik helemaal met de handen in het haar. Het was te zwaar voor me om alles alleen te doen. En als je het niet goed doet, kom je in de problemen met de belasting. Nou, berg je dan maar. Dus dat zware pak is gelukkig van mijn schouders. Een ouderwetse kaartenbak hebben we niet meer, alles staat nu in de computer. De cliënten staan op alfabet, dus die kun je makkelijk terugvinden. Je moet de afspraken verzorgen en de machtigingen nakijken. Verder moet je de facturen klaarmaken voor de zorgverzekeringen en de correspondentie bijhouden. Wees in het begin niet bang een fout te maken, want alle begin is moeilijk en dat is met een computer makkelijk te herstellen. Of we overleggen hoe we het beter kunnen doen. Nou, hoe denk je erover?'

'Ik wil het heel graag doen,' zei Loes. 'Want ik zie het echt wel zitten.'

'Daar ben ik blij om. Ik doe het helemaal volgens de regels. Twee maanden proeftijd en als het goed gaat een jaarcontract.'

Loes stak haar hand uit. 'Afgesproken. Wanneer kan ik beginnen?'

Mieke schoot in de lach. 'Gisteren graag!'

Loes vertelde dat ze al het een en ander aan het regelen was geweest voor het geval dát...

Het reisbureau had de drukste tijd achter de rug. Ze zou daar met een week of wat weg kunnen.

Bij de Wereldwinkel zou ze eventueel de koopavond kunnen werken. Het was geheel vrijwilligerswerk, dus dat was iets makkelijker af te spreken.

Ook had ze een paar afspraken lopen om een uur deel te nemen aan een gesprekstherapie voor gescheiden mensen. Hoewel ze over die afspraken nog wat aarzelingen had.

'Doe het in ieder geval,' raadde Mieke aan. 'Je

weet nooit waar het goed voor is. Baat het niet, dan schaadt het ook niet.'

'Maar alles is immers niet terug te draaien,' zuchtte Loes.

'Daar gaat het niet om, Loes. Het is geen huwelijkstherapie. Het gaat erom hoe je de dingen kunt verwerken om sterker in je schoenen te staan. En dat je niet blijft steken in haat en wrok, zodat die dingen het je zo moeilijk maken dat je er weer van gaat hyperventileren.'

'Ja, daar zeg je wat. En qua tijd?'

'Nou dat is allemaal te regelen. Zo'n gespreksgroep houdt er ook een keer mee op. Dat ligt trouwens helemaal aan jezelf, hoeveel tijd dat in beslag neemt.'

'Daar heb je gelijk in. Er zijn mensen die jarenlang therapie hebben en die nog niet snappen hoe ze in elkaar zitten. Dus je raadt me aan om mee te doen?'

'Dat moet je zelf beslissen, Loes. Het zijn gesprekken om iets te verwerken en minder om jezelf te ontdekken. Hoewel dat soms een beetje door elkaar loopt.'

'Ik zeg dan nog maar niks af,' zei Loes nadenkend.

'Dat passen we allemaal in,' zei Mieke. 'Geen problemen maken die er nog niet zijn. Ik ben in ieder geval heel blij dat je bij me komt werken. Ik zag er zo tegen op om een advertentie te zetten en sollicitanten te ontvangen. Het is zo moeilijk om op het eerste gezicht te kiezen.'

'Dan hoop ik dat je met mij een goede keus hebt. Ik ben ook blij.'

Mieke vroeg of het goed was dat Loes een keer langsging bij haar voorgangster om wat over het werk bij te praten. Ze zegde toe zelf af te spreken, dat was makkelijker voor beiden.

Nadat ze samen iets fris hadden gedronken, ging Loes naar huis. Ze was opgetogen dat ze werk had. Het leek haar leuk, ook omdat ze met mensen zou omgaan.

Een groot kantoor had haar niet zo aangetrokken. En voor iets heel anders had ze beslist de een of andere studie moeten volgen. Nu kon ze nog kijken hoe het haar zou bevallen.

Ze moest zich beheersen om de woede te onderdrukken die ze jegens Paul voelde. Op het ene moment woonde je in een mooi huis en op het andere moment had je niks meer en moest je aan het werk om in je levensonderhoud te voorzien, terwijl je dacht samen oud te worden met de man van wie je hield.

'Loes, kwel jezelf niet zo,' zei ze hardop. 'Stop, stop, stop. Het is nu eenmaal zo.'

Gelukkig zakte het boze gevoel. Ze dacht aan het feit dat ze zomaar opeens een baan had. Zonder veel moeite, en ook nog iets dat voor haar geschikt was. Dat was immers een reden voor grote dankbaarheid. Zoiets overkwam niet veel mensen.

Ze reed de straat in waar haar ouderlijk huis stond. Ze moest altijd even opletten, want ze was al twee keer naar haar oude huis gereden. Uit macht der gewoonte.

Haar vader stond voor het raam op de uitkijk. Hij zwaaide vriendelijk naar haar. Ze voelde zich altijd welkom.

Wat een zegen om zulke hartelijke, meelevende ouders te hebben. Nooit één verwijt of lang gezicht dat ze zomaar opeens weer thuis was en ze hen zoveel overlast bezorgde. Hoewel ze van haar vader het woord 'overlast' absoluut niet mocht gebruiken. Ze deden het graag en met liefde.

Ze parkeerde haar auto en liep naar binnen. Haar vader kwam haar tegemoet. 'Loes, er is een brief van het woningbureau,' riep hij uit.

'Echt waar?' Ze trilde opeens van de zenuwen, maar deed toch schijnbaar rustig haar jasje uit en hing het aan de kapstok.

De brief lag op het tafeltje in de gang. Een vast punt waar altijd de post werd neergelegd.

Ze nam de dikke envelop in haar hand en bekeek

hem van alle kanten. Hij was eigenlijk te dik voor alleen een velletje papier met een afwijzing, dacht ze.

'Maak hem gauw open, dan weten we wat meer,' drong haar vader aan.

'Ik durf het niet,' zei Loes. 'Nu weten we nog van niets, maar over een paar minuten ben ik misschien een teleurgesteld mens.'

Met een haarspeldje maakte ze de envelop open. Haar ogen vlogen over de brief.

'En?'

'Ik krijg het huis!' juichte ze.

'Wat heerlijk, Loes. Wat ben ik ontzettend blij voor je,' zei haar vader opgetogen.

Haar moeder, die nieuwsgierig kwam aangelopen, stemde ermee in. Ze gaf Loes een knuffel. 'Zie je wel, meiske, het komt best goed. We mogen God wel danken voor zijn goedheid. Het had ook heel anders kunnen aflopen.'

Loes ging op de bank zitten om de brief nog een keer over te lezen. De tranen sprongen in haar ogen. Niet alleen van blijdschap dat ze een baan en een huis had op dezelfde dag, maar ook van verdriet om alles wat ze had verloren.

De brief gaf haar aanwijzingen over van alles en nog wat en bevatte tevens het adres van de vorige bewoners, zodat ze met hen de rest kon afhandelen. Want ze wilde alle spullen die waren achtergebleven graag overnemen.

Opeens zag ze alle drukte op zich af komen. Ze moest een ledikant hebben, een tafel, stoelen, een koelkast, een wasmachine. O, verschrikkelijk, hoe kreeg ze dat toch allemaal voor elkaar?

'Wat is er, Loes?' vroeg haar moeder, die haar gezicht zag betrekken.

'Ik moet zo veel kopen om daar te kunnen wonen,' zei ze. 'Want ik heb bijna niets.'

'Maar Paul heeft best veel over,' dacht haar moeder hardop.

'Nee, ik wil niets van Paul. Nog geen luciferdoosje.'

'Nou ja, dat kan ik wel begrijpen,' krabbelde haar moeder terug.

De rest van de dag ging als een droom voorbij. Loes las de brief verschillende keren en af en toe kneep ze zichzelf in de arm om te voelen dat ze het allemaal echt beleefde, hier en nu.

Ze besloot de vorige bewoners van het huis aanstaande maandag te bellen of ze een afspraak kon maken om hen te bezoeken. Het was zo'n dertig kilometer verder en ze wilde ervan verzekerd zijn dat ze thuis waren.

Verzorgingshuis Rozengaarde was mooi gelegen aan de rand van een bos. De bladeren begonnen al te kleuren, omdat de herfst in aantocht was.

Het lag er prachtig, vond Loes. Maar ze vroeg zich af waarom zulke tehuizen zo verscholen lagen in de natuur. Het was zo ver van alle winkels en voorzieningen. Je kon eigenlijk nergens heen om eens een boodschap te doen of wat te winkelen. Tegelijk besefte ze dat, als je al die dingen nog kon doen, je niet in een verzorgingshuis thuishoorde.

Ze parkeerde de auto in een van de vakken voor de ingang. De deuren gingen automatisch open en Loes kwam binnen in een moderne, lichte omgeving.

'Voor wie komt u op bezoek?' Een vriendelijke vrouw kwam haar tegemoet.

'Ik heb een afspraak met de familie Friesland.'

'O, dus ze verwachten u. Eerste verdieping, derde kamer links. U kunt het wel vinden, denk ik.'

Loes liep verder. In de hal zag ze een klein winkeltje, waar verschillende dames iets aan het kopen waren. Het zag er leuk uit. Terwijl ze voorbijliep, zag ze koekjes, koffie, chocolade, doucheschuim en ansichtkaarten. Overal stonden planten. Geen zijden, maar echte. Een vrouw liep met een gietertje rond om ze, heel zorgvuldig, water te geven.

De gezochte kamer was makkelijk te vinden en ze

belde aan. Een klein vrouwtje met een hoofd vol zilverwitte krulletjes opende de deur.

'Mevrouw Friesland?'

'Ja, u bent goed.'

'Ik ben Loes de Greef.'

'Kom binnen, kom binnen.'

Loes stapte de kamer in. Het was een grote, zonnige kamer met in de hoek een minikeukentje. Een grote man met een blozend gezicht zat in een rolstoel. Hij knikte haar toe. 'Dag mevrouw, u komt het geld brengen?'

'Rustig, Piet,' zei zijn vrouw. En tegen Loes zei ze: 'Let maar niet al te veel op hem; hij is nogal direct met alles, dat komt door zijn beroerte. Gaat u maar zitten. Wilt u misschien een kopje koffie?'

'Alstublieft.'

De vrouw liep naar het keukenhoekje, waar een Senseo-apparaat stond. Even later kwam ze met twee kopjes koffie terug en zette er een voor Loes neer.

'Suiker en melk?'

'Alleen melk alstublieft.'

'En ik?' riep de man.

'Jij hebt daarnet al koffie gehad, en ik heb even gewacht op deze mevrouw.'

Ze wees naar een tuitbekertje, dat de man gelijk oppakte en moeizaam naar zijn mond bracht.

'Het valt niet mee, mevrouw. We woonden daar zo heerlijk. Het was helemaal naar onze zin en alles was gelijkvloers, zodat we dachten dat we er nog een tijd konden blijven wonen, ook als we met ziekte te kampen zouden krijgen. Maar ja, we hebben toch misgerekend.'

'U woonde daar prachtig en u had het leuk ingericht,' beaamde Loes.

'Ja, dat is zo. En toen kreeg mijn man opeens een beroerte. Hij had heel de dag hulp nodig en ik kon het niet meer aan. Ik ben ook al een jaartje ouder, moet u weten. Ik kon hem niet tillen en als hij naar het toilet moest, was het een gesjouw van jewelste. Dan vielen we soms samen op de grond. Wat vond ik het erg dat we daar weg moesten.'

De man in de rolstoel probeerde haar aandacht te trekken en wees Loes op een groot pak incontinentieverband dat half achter een stoel stond.

'Ja, dat krijgt hij nu aan,' zei de vrouw een beetje beschaamd. 'Dat is makkelijker voor de zusters. Er is te weinig personeel en dat verband zorgt ervoor dat er niet iedere keer ongelukjes gebeuren, snapt u.'

Loes snapte het volkomen. Ze dacht aan de vele krantenartikelen over het tekort aan medewerkers in de verpleeghuizen. Er was geen tijd om iedereen naar de wc te helpen.

'Maar de zusters zijn heel lief, hoor. Ze lopen de benen uit hun lijf en zijn altijd vriendelijk,' vervolgde mevrouw Friesland.

'Dat is heel fijn. Dus u kunt hier wel een beetje wennen?'

'Het zal wel moeten, mevrouw. Mijn zoon zegt ook dat het voor ons de beste manier is om verder te kunnen.'

'Heeft u een beetje aanloop, zodat u niet heel de dag alleen zit?'

'Niet zoveel.' Mevrouw Friesland nam het laatste slokje uit haar kopje.

'Misschien van de kerk?' informeerde Loes.

'Nee, we zijn niet zo kerks. Mijn man is vroeger wel gegaan, maar hij heeft zich laten uitschrijven als lid. En ik ben eigenlijk nooit lid van de kerk geweest. Ik ging wel met hem mee indertijd, maar ja, daar doe ik nu niets meer aan. Zeg nou zelf, als God liefde is, waarom gebeuren er dan zo veel verschrikkelijke dingen op de wereld? Oorlog, haat, nijd, ziekte; kijk nou naar mijn man, waar heeft hij die hersenbloeding aan verdiend?'

'We krijgen niet wat we verdienen,' zei Loes, en ze dacht: arme mensen, om zo zonder troost te moeten leven.

'Zo is het, mevrouw,' was het antwoord. Mevrouw Friesland begreep het gezegde van Loes heel anders dan die het had bedoeld.

'Toch kan het geloof een grote troost zijn,' probeerde Loes opnieuw, maar het echtpaar ging er niet op in en Loes besloot er verder maar over te zwijgen. Voor je het wist, zat je in een discussie waar je niet meer uitkwam. Dat was een van de moeilijke dingen voor een christen. De mensen vroegen van zichzelf niet naar het evangelie en daar stond je vaak zo machteloos tegenover. Het geloof kon je niet opdringen. Een mens ging pas naar God zoeken als God naar hem op zoek was. Je kon de ander wel voorleven door je levenswandel en door goed van God te spreken. Er was geen enkele mens op aarde die een ander kon bekeren; het was een eenzijdig Godswerk.

'Het geld!' herinnerde meneer Friesland zich.

'Ja, daar kwam ik immers voor,' zei Loes. 'Ik vind het een redelijk bedrag dat u vraagt en ik wil het u graag betalen, want ik ben er blij mee! Maar ik heb het niet contant bij me, omdat ik niet wist of u zo'n groot bedrag in huis wilde hebben.'

Het echtpaar keek elkaar vragend aan. 'Hoe regelen we het dan?' vroeg mevrouw.

'Ik heb contact opgenomen met uw zoon,' zei Loes, 'en we zijn het volgende overeengekomen. Ik betaal u nu driehonderd euro en het resterende bedrag maak ik aan u over.'

'Hoe weet ik of u dat doet?' vroeg mevrouw een beetje hulpeloos.

Loes maakte haar tas open. 'Kijk, ik heb de bankoverschrijving bij me. Die zit al in een envelop, die gaat op de post en dan wordt het op uw bankrekening geschreven.'

'Opbellen!' riep meneer Friesland naar zijn vrouw. Ze knikte en pakte de telefoon, die op de tafel lag. Handig drukte ze de toetsen in en wachtte tot ze haar zoon aan de lijn kreeg. Toen ze merkte dat Loes gelijk had, keek ze haar vriendelijk aan.

''t Is in orde, hoor. Neem me niet kwalijk, maar je hoort soms van die rare verhalen.'

'Dat ben ik met u eens, ik begrijp het wel.' Loes plakte de envelop dicht. 'Bij het hek is een brievenbus, die kunt u hiervandaan zien. Daar stop ik hem in. Alles komt goed.'

Ze nam afscheid van het echtpaar. Buiten deponeerde ze de envelop in de brievenbus en reed opgelucht naar huis.

15

Het was een hele verandering in het leven van Loes. Ze moest iedere morgen op tijd opstaan om aan het werk te gaan. Maar het werk beviel haar uitstekend. Iedere cliënt was nieuw voor haar; ze probeerde de gezichten bij de naam te onthouden en dat was een hele klus. Maar Mieke verzekerde haar dat het binnen korte tijd zou wennen. Vaak kregen mensen zes of negen behandelingen voorgeschreven en dan zag je ze nooit meer. Sommigen kwamen op geregelde tijden terug omdat de rug weer opspeelde. Loes merkte dat bij veel mensen de onderrug hun zwakke plek was.

Ze kon buitengewoon goed wennen in haar nieuwe huis. Het inrichten had een flink gat in haar financiën geslagen, want je wilde niet weten wat je allemaal moest kopen als je niks had.

Met spijt dacht ze aan het mooie servies met de ribbeltjes en klimopblaadjes dat ze achtergelaten had. Ze had een modern serviesje gekocht bij de

Hema; het voordeel was dat het ovenvast was en in de magnetron kon. En dat laatste kon je nu eenmaal niet met een mooi klassiek servies. De cassette met zilver die ze op haar vijfentwintigjarig huwelijksfeest had gekregen, kwam nu goed van pas. Die was haar persoonlijk eigendom geweest. En zo scharrelde ze beetje bij beetje de inrichting bij elkaar.

Van haar ouders en Hanna had ze een wasmachine gekregen. Ze had er hevig tegen geprotesteerd, omdat het voor haar geen probleem was die zelf te betalen. Maar ze hadden alle drie voet bij stuk gehouden: Loes kreeg een wasmachine. Dan kon ze nog eens aan hen denken, zeiden ze. Alsof ze dat anders niet zou doen.

Ze moest helemaal wennen aan haar veranderde omstandigheden. Gelukkig was ze in haar nieuwe huis snel gewend.

Maar toen alles een beetje in een rustiger vaarwater kwam, merkte ze dat ze zichzelf had overschat. Regelmatig had ze last van hyperventilatie, waarbij ze het soms erg benauwd kreeg.

'Geen wonder,' zei Mieke opbeurend. 'Je hebt nogal wat meegemaakt de laatste tijd. Als je het wat meer van je af kunt zetten, verdwijnen die aanvallen vanzelf. Ze komen minder voor en uiteindelijk heb je er geen last meer van.'

'Blijven ze dan altijd weg, Mieke?'

'Meestal wel. Misschien als je onder zware druk komt te staan. Daar moet je op letten. Aan jezelf denken, je niet gek laten maken.'

'Dat is makkelijker gezegd dan gedaan.'

'Daar heb je gelijk in. Trouwens, je gaat binnenkort naar die gespreksgroep. Daar kun je waarschijnlijk veel kwijt van je spanning. Praten helpt, echt waar. Ik heb ook meegedaan aan een groep voor rouwverwerking.'

'Hoe deden de mensen het vroeger toch?' vroeg Loes zich hardop af. 'Tegenwoordig zijn er gespreksgroepen en therapieën, slachtofferhulp en wat niet al, de helft van Nederland wordt begeleid door de andere helft en nog steeds is er meer vraag dan aanbod.'

'We mogen van geluk spreken dat het er allemaal is,' zei Mieke. 'Vroeger konden diep ongelukkige mensen nergens terecht. Iedereen moest zijn eigen pak dragen. Veel mensen vonden toen kracht in het geloof. De families woonden niet zo ver uit elkaar, zodat er sneller hulp kon worden geboden. De mensen waren nog niet zo individualistisch als tegenwoordig.'

Loes knikte en haar gedachten gingen verder. Kinderen namen hun ouders in huis. Bij een moederloos gezin, waar de vrouw in het kraambed was gestorven, sprong de familie in. Maar of het nu zoveel beter was? Dat zou ze niet kunnen zeggen.

De bijeenkomst van de groep was in het buurthuis. Dan was het allemaal een beetje minder persoonlijk. Het was een keer in de veertien dagen, dus dat was wel vol te houden. De eerste keer was woensdagavond, maar waarschijnlijk zou het naar de vrijdagavond of de zaterdag verhuizen. Dat zouden ze met z'n allen moeten beslissen, want niet iedereen kon doordeweeks. Maar Loes bleef twijfelen of ze er wat mee zou opschieten.

Toch ging ze erheen om te kijken of ze er wat aan zou hebben.

De locatie viel haar erg mee. Ze had een kille, grote ruimte verwacht. Maar er was in het buurthuis een aparte kamer, speciaal voor kleine gespreksgroepen. Oranjekleurige fauteuiltjes, een glazen tafel, een vaas met een herfstboeket, gesloten overgordijnen voor de ramen. Echt, het viel haar mee.

Ze maakte kennis met Irma, de maatschappelijk werkster die de groep zou leiden.

'We gebruiken hier de voornamen, de achternaam is niet belangrijk,' zei ze. 'Dat geeft meer privacy voor de deelnemers.'

Loes stelde zich voor als Louise, dat vond ze anoniemer dan Loes. Die afstand wilde ze nog even bewaren. Trouwens, haar doopnaam was toch ook Louise.

De een na de ander druppelde binnen en stelde zich voor. Allemaal gescheiden mensen, dacht ze, allemaal hebben ze verdriet en problemen meegemaakt.

Ze waren met vijf totaal, drie vrouwen en twee mannen. Er werd koffie geschonken en Irma presenteerde er koeken bij. Maar iedereen zat hevig in de koffie te roeren en er werd niets gezegd. Wie zou beginnen?

Irma hielp hen op weg. 'Laten we ons eerst aan elkaar voorstellen en in het kort vertellen wat de reden van de scheiding was.'

'Ik heet Bram,' zei een van de twee mannen. 'Mijn vrouw is weggelopen en ze heeft de kinderen meegenomen. Ze was verliefd op iemand anders geworden en is als het ware van het ene bed in het andere gestapt. En ik kan het niet verdragen dat ik de kinderen niet meer zie.'

'Is de scheiding al helemaal afgehandeld?' vroeg Irma.

'Jazeker!'

'Dan is er toch wel een rechtelijke uitspraak over het bezoekrecht van de kinderen?'

'Ja, maar daar houdt ze zich niet aan. In het begin werden er wel eens afspraken gemaakt, maar dan hadden de kinderen koorts of ze waren verkouden; iedere smoes werd maar gebruikt om het niet door te laten gaan.'

'Houdt u nog van uw vrouw?' vroeg Loes, en ze schrok ervan dat ze dat opeens durfde te vragen, want ze kende hem helemaal niet.

'Nee,' zei Bram. 'Maar dat heeft me heel veel moeite gekost. In het begin wilde ik haar graag terug, ik meende dat ze even ontoerekeningsvatbaar was en dat het wel weer in orde zou komen. Maar ze heeft zo veel modder over me heen gegooid dat ik besefte een illusie na te jagen. Terwijl ik altijd keihard heb gewerkt voor mijn gezin.'

Loes dacht aan de informatie die ze van tevoren allemaal toegestuurd hadden gekregen. Dit was één van de voorbeelden die erin stond aangegeven.

Haar voorbeeld stond er niet in. Ze was in dit geval uniek.

Sabine had een vreselijk huwelijk achter de rug, zoals ze vertelde. Ze werd gekleineerd, mishandeld en onder druk gezet door een seksueel onverzadigbare man. Nadat hij haar met een mes had bedreigd, had ze hem aangegeven bij de politie. Daarna had ze de scheiding in gang gezet. Die was intussen uitgesproken, maar hij stalkte haar en liet haar niet met rust.

Loes zat stil te luisteren, ze werd overweldigd door de droevige geschiedenis van de anderen.

'Dan heb ik in vergelijking helemaal niets meegemaakt,' liet ze zich ontvallen.

'O nee?'

'Nee, als ik naar jullie luister, dan hoor ik hier niet.'

'Misschien wil je er iets over zeggen,' zei Irma vriendelijk.

'Ik was... Nee, ik moet het goed zeggen: we waren vijfentwintig jaar getrouwd en we hadden een prachtig feest met veel gasten. Ik kreeg een mooi zilveren sieraad van mijn man omdat het onze zilveren bruiloft was. Werkelijk, ik was een gelukkige vrouw en ik hield veel van mijn man. Er was één 'maar': we konden geen kinderen krijgen. Een dag na het feest vertelde mijn man dat hij wilde scheiden.'

'En waarom dan? Het klinkt zo mooi, dat verhaal van je.'

'Hij had een collega zwanger gemaakt. Een weduwe met een kind. Zij was niet onvruchtbaar, was gebleken, en mijn man wilde zo graag kinderen van zichzelf.'

'Dus dat was de reden?'

'Ja. Ik dacht dat hij zich erbij neergelegd had, maar het bleek dus van niet.'

'Nooit aan adoptie gedacht?'

'Ja,' zei Loes verdrietig. 'Ik wel, maar hij wilde absoluut een kind van zichzelf. Hij had geen zin om het kind van een ander op te voeden.'

'Maar dat gaat hij nu toch ook doen?'

'Zeker weten!'

Loes zweeg. Ze had er genoeg over gezegd, vond ze zelf. Ze werd er ook een beetje draaierig van in haar hoofd. Wat had ze hieraan? Om dit alles weer op te halen en in het openbaar te vertellen. De goede tijden kwamen toch niet terug. En wat bezielde deze mensen allemaal? Waren ze echt bezig met het verwerken van hun lijden, en zouden ze er wat aan hebben? Of hadden ze er genoegen in om hun verdriet uit te stallen en daarvan te genieten op een manier die ze zelf niet in de gaten hadden?

'Bij ons was het ook een probleem met kinderen,' zei de man die zich als Just had voorgesteld. 'Zij wilde ze niet. Dat had ze voor ons huwelijk al gezegd, maar ik had verwacht dat ze wel zou bijdraaien. Niet dus!'

'Het huwelijk is niet bedoeld om elkaars karakter te veranderen,' meende Irma. 'Dat lukt nooit!'

Dat gezegde had ieders instemming.

Weer een probleem met kinderen, dacht Loes. Het lijkt wel of het daar allemaal om draait. Ze voelde een golf van misselijkheid over zich heen gaan. Als ik maar niet ga overgeven. Ik red dit niet. Het is werkelijk afschuwelijk wat je hier allemaal te horen krijgt.

Daar kwam ze toch niet voor? Of was het de bedoeling om elkaars problemen op te lossen?

Ze trok wit weg en het zweet brak haar uit.

'Ik voel me niet zo lekker,' zei ze terwijl ze opstond. 'Als jullie het niet erg vinden, haak ik af.'

Zo stond ze opeens in het middelpunt van de belangstelling en kreeg ze van alle kanten goede raad.

'Het zakt wel!' troostte Sabine. 'Je moet erdoorheen, anders raak je je problemen nooit kwijt. Dwars erdoorheen.'

'Ik ga liever naar huis. Het spijt me.'

'Ben je met de fiets of met de auto?'

'Met de auto.'

'Kun je dat? Of moet iemand je thuisbrengen?'

'Nee, dat hoeft niet. Desnoods loop ik even een stukje in de frisse lucht, dan zakt de misselijkheid wel.'

'Weet je het zeker?'

'Ja, ik weet het zeker!'

Ze gaf Irma een hand en wuifde naar de anderen.

'Tot ziens, Louise,' zeiden ze.

Ze liep naar de gardarobe en trok haar jas aan. Ze knapte op van de frisse buitenlucht en de wind, die haar haren alle kanten uit blies.

Eindelijk, ze was buiten. Ze kon naar huis. Ze prees zich gelukkig dat het nog een eindje lopen was naar haar auto. Toen ze daar dichtbij was, zag ze een betonnen bankje staan. Ze ging erop zitten en haalde diep adem.

Rust en stilte, dacht ze, geen problemen. Hoe kan ik het verraad van Paul verwerken zonder de ellende van al die andere mensen te moeten aanhoren? Ik kan dit niet en ik wil dit ook niet. Trouwens, ik kan me absoluut niet voorstellen dat zoiets de ideale oplossing is.

Ik neem nu een besluit, dacht ze. Dit is de eerste en de laatste keer. Ik ga nooit meer terug. Ik heb veel meer vrede in mijn hart als ik tot God bid of Hij me helpt alles te dragen.

Er kwam een oude man langs met een klein wit hondje, dat aan haar schoenen snuffelde.

Hij stond even stil. 'Alles goed, mevrouw?' vroeg hij bezorgd.

'Ja hoor. Ik schep even een luchtje.'

'Oké!' Hij liep verder, maar keek na een tiental stappen nog eens om.

Het deed haar goed dat die voorbijganger zich om haar bekommerde.

Na een tijdje stond ze op. De auto was dichtbij, en op haar gemak reed ze naar huis.

Ze had in de gang een lampje laten branden, zodat ze niet in een donker huis stapte. Tevreden keek ze rond in haar eigen omgeving, die haar al zo vertrouwd was. Ze sloot de gordijnen en deed de lampen aan. Zo, de verwarming iets hoger zetten en daarna een grote mok thee. Met kleine slokjes dronk ze even later van de warme, zoete thee.

Ze voelde dat ze het goed had gedaan. Er was niemand die haar kon dwingen zo'n gespreksgroep te volgen, dus ze kon zich vrij voelen en opgelucht omdat het achter de rug was.

Natuurlijk was het goed bedoeld van haar huisarts om haar op die mogelijkheid te wijzen. Maar ze zou hem bellen en eerlijk zeggen dat het niets voor haar was.

Nu al spookten die verhalen door haar hoofd. Het waren problemen die te groot en te wreed waren om te verwerken. Ze hoopte dat de betreffende personen er wel iets aan zouden hebben.

Ze liep naar haar cd-speler en zette een pianoconcert van Beethoven op; pianoconcert nummer één in C-groot. Ze ging met haar ogen dicht op de bank liggen om ervan te genieten.

Om halftwee schrok ze wakker. De cd was al lang afgelopen, stilte vulde de kamer.

Met enigszins stijve spieren stond ze van de bank op. Ze deed de lichten uit en strompelde slaapdronken naar bed. Ze schoof met kleren en al onder het dekbed en sliep verder.

'Hoe was het?' vroeg Mieke de volgende dag belangstellend. En met een blik op het bleke gezicht van Loes constateerde ze dat die niet veel geslapen zou hebben.

'Als een blok,' zei Loes. 'Ik was op de bank al in slaap gevallen en ben toen ik wakker werd in bed verder gaan slapen. Na een frisse douche ben ik eindelijk een beetje wakker.'

Ze vertelde Mieke het hele verhaal en het besluit dat ze er niet meer naartoe zou gaan.

'Dat is een verstandig besluit,' zei Mieke. 'Door al die problemen van een ander raak je soms nog verder van huis. Goed gedaan.'

Van die bemoediging fleurde Loes helemaal op. Niet dat ze op haar beslissing terug zou komen. Dat niet. Maar het voelde heel prettig dat Mieke er ook zo over dacht.

16

Loes had nog veel stof tot nadenken als ze aan die bewuste woensdagavond dacht. Ze had Irma laten weten dat ze niet verderging met de gesprekstherapie. Op de vraag of ze er nog over na wilde denken, zei ze direct dat ze daar helemaal niet voor voelde. 'De eerste avond is meestal de ergste,' beweerde Irma. 'Dan krijg je van iedereen alles te horen. Later wordt dat allemaal wat minder.'

'Sorry, maar het is te zwaar voor mij om over die gewelddadige huwelijken en andere problemen te horen. Trouwens, ik heb helemaal geen slecht of gewelddadig huwelijk gehad. Ik heb juist een heel goed huwelijk gehad. Het waren fijne jaren, tot opeens de grote klap kwam. En die was raak ook. Geen haar op mijn hoofd dacht er ooit aan dat het zo zou eindigen.'

'Dat begrijp ik,' zei Irma meelevend. 'Dan is het hierbij afgelopen. Mocht je je bedenken, dan weet je de weg.'

Loes bedankte haar hartelijk en legde opgelucht de telefoon neer. Zo, dat was afgehandeld.

Ze had geen slechte jaren gehad en ze haatte Paul niet omdat hij haar dit allemaal had aangedaan, maar het verdriet in haar hart was pijnlijk en schrijnend.

Ze herinnerde zich dat ze hem pas nog in het winkelcentrum had gezien. Samen met Eline. Het zoontje van Eline hield zijn hand vast en huppelde naast hem. Eline keek glimlachend naar het tweetal. Ze was hoogzwanger, het zou niet lang meer duren voor Paul zijn eigen kind had.

Gelukkig hadden ze haar niet gezien. Ze was de dichtstbijzijnde winkel in gegaan om hen vooral maar niet tegen te komen.

Ze had hartkloppingen van de schrik en bekeek de spullen in de winkel, terwijl ze niet eens wist wat ze er verkochten. Oef, dat was even schrikken.

Ze was direct naar huis gegaan, want het plezier van het winkelen was helemaal over. Ze zouden daar niet samen kunnen lopen zonder elkaar tegen te komen. En daar had ze geen zin in. Dat deed nog te veel pijn, merkte ze.

Hoelang zou het duren eer ze daar overheen was? Misschien wel nooit. Je kon vijfentwintig huwelijksjaren zomaar niet uitvlakken.

Ze was nog wel op zoek naar een vlotte, warme wintermantel. Nu ja, een andere keer dan maar. Ze moest toch wel zorgen dat ze er beter tegen kon, want ze zou hem heus nog wel vaker zien lopen en ze had geen zin om voor hem te verhuizen, hoewel ze begreep dat sommige mensen niet anders konden. Iedere keer als ze de ander tegen zouden komen, gaf dat stress en pijn. Dan maar ergens anders helemaal opnieuw beginnen.

Maar goed, ze was nu aan het leren voor haar EHBO-diploma. Dat had Mieke haar sterk aangeraden omdat het in haar praktijk van onschatbare waarde was.

Het trof dat het juist in de wintermaanden wemelde van de cursussen. Ze wilde eerst de EHBO doen en daarna waren er op dit gebied nog allerlei aanbiedingen voor een cursus of opleiding.

Ze had er zelfs over nagedacht een opleiding tot verpleegkundige te volgen. Of desnoods eerst voor ziekenverzorgster. Maar ze was vijfenveertig en ze wist niet of ze dat zou kunnen volhouden. Het was zwaar en onregelmatig werk met veel tillen. Misschien was ze ook wel te oud om als leerling te worden aangenomen.

Het zou heel anders zijn als ze zo'n diploma al had, dan zou ze als herintreedster veel makkelijker aan het werk kunnen. Maar bij Mieke werken was ook leuk. Ze kwam onder de mensen; dat was een voordeel, want ze was nog veel te jong om thuis op de bank te zitten. Dat zou ze ook niet willen!

Ze was te jong getrouwd. Wat was twintig jaar toch piepjong. Dat deden ze tegenwoordig niet meer.

Hoewel het een heel andere tijd was dan vroeger. Toen kreeg de jeugd heel jong verkering, ze verloofden zich en na een jaar of wat werd er getrouwd. Op dit moment keken jongeren meer de kat uit de boom, trouwden later, en de kinderen kwamen ook later.

In haar jeugd hadden de meeste jonge stellen een jaar na de trouwdag een baby. Zij daarentegen niet. Was het maar zo gegaan, dan was ze nog met Paul samen geweest.

Maar goed, het was nu eenmaal zo, ze kon er ook niets meer aan veranderen.

Op een zaterdag kwam haar vader langs met een net vol bloembollen. Ze had eerst uitgeslapen en daarna een lekker lange douche genomen. Met haar natte haren in een handdoek gewikkeld zat ze aan de tafel, de krant voor zich uitgespreid, een kop koffie en een beschuit met oude kaas binnen handbereik.

Ze zag hem aankomen en liep snel naar de deur om open te doen. 'Hallo, alles goed?'

'Prima. Het ruikt hier lekker naar koffie, heb je nog een beetje over?' Haar vader ging aan de andere kant van de tafel zitten.

'Natuurlijk, ik schenk gelijk voor u in.'

'Kijk eens, Loes, ik heb wat bollen voor in de tuin gekocht en gelijk ook voor jou wat. Je hebt maar een heel klein tuintje, maar het is zo leuk om dat op te fleuren met tulpen en narcissen.'

'Dat is aardig van u,' zei Loes dankbaar. 'Zelf had ik er ook aan gedacht, maar het was er nog steeds niet van gekomen. Wat heeft u allemaal meegebracht?'

'Tulpen,' zei haar vader en hij liet het bijbehorende kaartje zien. 'Helderrood. En dit zijn narcissen, en verder nog blauwe druifjes en sneeuwklokjes. Dat zal een heel fleurige combinatie zijn. Zal ik ze er even voor je in zetten?'

'Nou, als dat zou kunnen, heel graag. Maar ik heb geen pootschepje en hark.'

'Die heb ik in de auto liggen, want ik dacht wel dat die van pas zouden komen. Dat is goed, dan zet ik ze er zo even voor je in. Hoe gaat het verder, Loes? Je begint er wat beter uit te zien, want je zag er de laatste tijd zo wit uit.'

'Ik begin te wennen, als vrouw alleen.'

'Och, misschien vind je nog wel een keer een man die van je wil houden. Je bent nog zo jong. Je weet nooit.'

Loes zuchtte diep. 'Dacht u dat ik nog in het huwelijk geloof? Het aller-, allerlaatste in de wereld is de gedachte aan een andere man. Trouwens, wie wil er nu een gescheiden vrouw? Je hoeft het woord maar te noemen bij kerkmensen en ze schrikken ervan.'

Haar vader schoot in de lach. 'Sommige mensen doen daar moeilijk over, dat is waar. Maar je zegt het toch ook altijd: ik ben niet gescheiden, ik ben verlaten – dat is anders.'

'Ja, dat is zo, en dat geeft mijn gevoel precies weer, maar zo denken anderen er beslist niet over.'

'Hoe is het met die gespreksgroep afgelopen, Loes? Daar moest je toch in deze tijd heen?' Zijn gezicht stond belangstellend; hij was er echt in geïnteresseerd. Loes besloot er maar iets over te vertellen, hoewel ze van plan was geweest het helemaal voor zich te houden. Ze wilde haar ouders niet steeds met haar problemen lastigvallen. Ze werden al een dagje ouder.

'Nou, ik ben geweest en het was helemaal niets. Voor mij dan.'

'Hoezo?'

'We waren met een stuk of wat en we moesten ons voorstellen en gelijk een kleine uitleg geven over waarom we een echtscheiding achter de rug hadden.'

'En? Deden ze dat allemaal?'

'Jazeker, iedereen had zijn eigen akelige verhaal. Toen ik een tijdje had zitten luisteren, dacht ik: hier word ik helemaal gek van.'

'Zo gauw word je niet gek hoor,' zei vader droog.

'Dat is zo, maar ik kreeg het idee dat we elkaars problemen op moesten lossen en dat zag ik niet zitten. Wees eerlijk, ik heb geen slecht huwelijk gehad.'

'Nee meiske, maar Paul heeft je wel op een lelijke manier afgedankt.'

'Daar heeft u helemaal gelijk in, het was een onverwacht grote klap. Maar tot die tijd was ik gewoon gelukkig. Een aardige man, een mooi huis, geen zorgen. Sommige mensen worden steeds opnieuw bedrogen. Of ze worden afgeranseld. Maar dat was bij ons niet. Daarom snapte ik er niets van. Begrijpt u dat, vader?'

'Nu wel, meiske.'

De tranen schoten Loes in de ogen omdat haar vader 'meiske' zei. Als je zo helemaal alleen achtergebleven en verlaten was, zei niemand meer iets liefs. Ze miste dat verschrikkelijk. Geen complimentjes meer, geen arm om haar heen. Niet meer praten over de dagelijkse dingen, niet meer samen koffiedrinken, niet meer samen in één bed.

'Nou ja, en daarom ga ik er niet meer heen.'

'Weet je dat nu al? Je bent er maar één keer geweest.'

'Praat me er niet van. Ik kom met een hoofd vol problemen van andere mensen naar huis. Trouwens, ik heb al gebeld dat ik niet meer kom.'

'Als je dat zo van streek maakt, Loes, moet je het niet doen. Dat begrijp ik nu. Probeer het maar van je af te zetten. Maar één ding: je moet goed onthouden dat wij er altijd voor je zullen zijn. Je moeder en ik. Zul je dat niet vergeten?'

'Dat weet ik,' zei Loes aangedaan. 'Ik ben jullie heel veel dank verschuldigd voor alles. En nu komt u weer bolletjes in mijn tuintje zetten. Heel erg bedankt.'

'Dat gaan we dan eerst maar eens doen. Zeg maar hoe je het wilt hebben. Even de spullen uit de auto halen.'

Ze gingen samen naar buiten om een mooi plekje uit te zoeken voor de bloembollen. Loes liet het aan haar vader over om ze te planten en ze kon zich de voorjaarskleuren al voorstellen.

Paul had ieder jaar bolletjes geplant en het enige wat ze daaraan hoefde te doen, was de compositie bewonderen als ze gingen bloeien.

Ze had het zelf nooit gedaan, maar ze had nu vader nauwkeurig op zijn handen gekeken. Ze moest dit zelf ook kunnen, zo moeilijk was het tenslotte niet.

'Je kunt dus alles leren,' zei ze glimlachend.

'Zo is het maar net. Maar zolang ik kan, zal ik je daarmee helpen. Over leren gesproken, heb je het EHBO-diploma al?'

'Nee nog niet, maar een cursus reanimatie heb ik afgesloten. Daar heb ik een diploma voor gekregen. Het enige vervelende aan die cursus vond ik dat oefenen op een pop, om mond-op-mondbeademing toe te passen. Iedere cursist zit daarop te blazen en te kwijlen.'

Haar vader schoot in de lach. 'Dat kan ik me voorstellen. Dan glibber je eraf. Maar je kunt er ook een zakdoek tussen doen.'

'Volgens mij denk je daar niet aan als de nood aan de man komt,' veronderstelde Loes. 'En wees nou eerlijk, je loopt toch niet altijd met een schoongewassen, gestreken en netjes opgevouwen zakdoek in je tas rond, alleen maar voor het geval dat!'

'Dat is zo, daar dacht ik zo gauw niet aan.'

Nadat de bollen in de grond gezet waren, gingen ze weer naar binnen en vader schrobde zijn handen onder de kraan schoon.

'Nog een kop koffie?' vroeg Loes.

'Heel graag.'

'Hebt u nog aan het boekje gedacht?'

'Zeker, het zit in mijn jaszak, ik zal het even voor je pakken.'

Even later legde hij een geel boekje op de tafel. 'Dit bedoelde je?'

'Ja.' Loes pakte het op. *Rondom de enge poort*, las ze. En de schrijver was Spurgeon. Op de kaft stond een afbeelding van iemand met een groot pak op zijn rug die aan een poort klopte. Die poort werd opengedaan en hij mocht erdoorheen. En erboven stond: *Klop, en u zal worden opengedaan.*

'Ik wil het heel graag lezen.'

Ze sloeg het boekje open. Onder de titel op de eerste bladzijde stond: *Een vriendelijk gesprek met zoekenden over het geloof in de Heere Jezus Christus.*

'Weet u dat ik me verbaas over die afbeelding? Ik weet nog dat u vroeger *Bunyans christenreis* hebt voorgelezen. Dat was een speciale editie voor kinderen. Al moet ik nu tot mijn schande zeggen dat er niet zoveel van is blijven hangen, toch herinner ik me nog die man die Christen heette, met dat pak op zijn rug. Nu zie ik hem hier op het boekje staan, maar hij heeft nog steeds dat grote pak op zijn rug. Dat pak moet de last van zijn zonden verbeelden, maar hij mag toch de enge poort door en de smalle weg op.'

'Hoe zou je het je dan voor willen stellen, Loes?' Vader bekeek de afbeelding nog eens nauwkeurig.

'Nou ja, zonder dat pak. Je mag door de enge poort en dan moet je er nog mee sjouwen. Dat loopt echt niet lekker.'

'Dat ben ik met je eens. De smalle weg is een moeilijke weg en je kunt je zonden maar op één manier kwijtraken. En dat is door het geloof in Jezus Christus. Als een christen bij het kruis komt, worden zijn zonden vergeven en valt het pak van zijn rug, de afgrond in. We hebben ook een boek waar de christen- en de christinnereis in staan. Misschien zou je dat ook eens kunnen lezen.'

'O ja, dat wil ik wel,' zei Loes.

'Sinds mijn scheiding ben ik gaan nadenken over het geloof en besef ik dat ik er nog zo weinig meer van weet. Weliswaar ga ik nu trouw naar de kerk, maar dan voel ik vaak veel spijt dat ik er vroeger met de pet naar heb gegooid. Ik ben me onrustig gaan voelen over alles wat ik in de kerk hoor. Misschien helpt het lezen van zo'n boek me om meer inzicht in die dingen te krijgen. Want ik ben me ervan bewust geworden dat ik moet veranderen, dat ik bekering nodig heb. Het lijkt me zo moeilijk allemaal.'

'Loes,' zei haar vader, 'in Handelingen zestien vraagt de stokbewaarder aan Paulus en Silas: 'Wat moet ik doen opdat ik zalig worde?' En dat is het antwoord: 'Geloof in de Heere Jezus Christus en gij zult zalig worden.' Lees in je Bijbel, denk erover na. Geef de moed niet op. Als iemand God gaat zoeken, dan is Hij eerst begonnen om de zondaar te zoeken. Wat de stokbewaarder overkwam, kan jou ook overkomen. Hoop op God.'

17

Loes liep in de stad. Het was druk, de mensen liepen langs elkaar heen en bijna allemaal hadden ze een telefoon in hun hand. Ze had haast, want ze was er nog steeds niet in geslaagd om een leuke jas te kopen, maar ze moest zich door de mensenmassa heen wringen en de telefoons maakten zo veel lawaai dat ze er last van had.

Langzaam deed ze haar ogen open. Ze lag in haar bed, in plaats van dat ze in de stad liep. Ze keek op haar wekkertje, dat vijf uur in de ochtend aanwees. En het geluid dat ze hoorde, was van haar eigen telefoon.

Ze schrok en nam op zonder te kijken welk nummer op het display stond. Haar ogen zaten nog half dicht van de slaap. 'Met Loes.'

Het was haar vader, die haar vertelde dat haar moeder plotseling in het ziekenhuis was opgenomen. Ze was opeens klaarwakker van de schrik.

'Wat is er gebeurd? Gaat ze...?' Ze durfde het

word 'dood' niet uit te spreken.

'Nee, maar het is wel heel ernstig.' Haar vaders stem klonk aangeslagen.

'Wat is er dan?'

'Gisteravond, voor we naar bed gingen, had ik voor ieder een sinaasappel geperst. Toen ik haar het glas wilde geven, stak ze haar hand uit en viel ze met een bons uit haar stoel en op de grond.'

'O, wat erg,' zei Loes aangeslagen. 'En toen?'

'Ik heb direct het alarmnummer gebeld en in korte tijd was de ambulance er. De broeders gaven een hartmassage en mond-op-mondbeademing. Toen ze haar ogen weer opendeed en ze wat gestabiliseerd was, is ze naar het ziekenhuis gebracht. Het is een hartinfarct, ze moet gedotterd worden en dan kijken ze wat er nog meer gedaan moet worden.'

'Wat zou dat kunnen zijn?'

'Een operatie, of een stent. Dat kunnen ze pas zeggen na de onderzoeken.'

'Zal ik naar het ziekenhuis komen? Of mag ik er niet bij?'

'Natuurlijk wel, ze zou het heel fijn vinden als je komt.'

'Dan doe ik dat. Ik ga me nu aankleden en dan kom ik naar jullie toe.'

'Dat is goed.'

Loes stond op en haalde een fris washandje over haar gezicht. Gelukkig hingen haar kleren voor de volgende dag al over de stoel, dus was ze in een mum van tijd aangekleed. Ze zocht haar tas en sleutels op en ging de voordeur uit. Het was nog donker en stil op straat. Ze huiverde van de kou: zo uit haar warme bed naar buiten.

Gelukkig startte haar auto direct. Die had af en toe kuren, omdat hij altijd buiten stond. Maar ze kon nu zonder problemen wegrijden.

Het ziekenhuis lag op een paar kilometer afstand van haar nieuwe huis en al snel zag ze het gebouw opdoemen. De parkeerplaats was bijna leeg. Er waren om deze tijd natuurlijk geen spreek- en bezoekuren.

Ze meldde zich bij de portier en die wees haar door naar de kamer waar haar moeder lag.

Met grote onrust in haar lijf liep ze de aangegeven route. De deur van de ziekenkamer stond half open en Loes zag haar moeder in bed liggen. Haar vader zat ernaast en streelde haar hand. Het was weer zo'n moment dat Loes haar eigen pijn voelde snerpen. Zij was alleen. Als ze ziek was, zou er geen man aan haar bed zitten die haar hand streelde. Er zou helemaal niemand zitten.

Op haar tenen kwam ze binnen. Haar vader stond op en haar moeder opende haar ogen.

'Dag allebei,' zei Loes zachtjes. 'Wat hebt u gedaan?' vroeg ze, terwijl ze haar moeder op het voorhoofd kuste.

'Ik weet het niet, Loes. Ik wilde mijn sap opdrinken en toen lag ik opeens hier. Ik snap er niets van.' Loes gaf haar vader een omhelzing. 'Gaat het een beetje?'

'We zijn verschrikkelijk geschrokken,' stelde haar vader vast. 'Het kwam zo onverwacht.'

'Waren er van tevoren geen klachten?' vroeg Loes, terwijl ze een stoel pakte en aan het eind van het bed ging zitten. Ze liep heel voorzichtig om niet tegen het ledikant te stoten, omdat dat zo vervelend is voor een zieke.

'Nee, we eten gezond. Moeder is genoeg in beweging. Ze komt eigenlijk nooit bij de huisarts.'

Misschien was het beter geweest als ze er wél af en toe heen was geweest, dacht Loes. Om de bloeddruk te controleren of het cholesterol. Als er dan afwijkingen geweest waren, had ze daarvoor behandeld kunnen worden. Maar ja, dat was achteraf praten.

De deur ging open en een verpleegkundige kwam kijken hoe het ging met de apparaten waaraan haar moeder lag aangesloten.

'U wordt om acht uur geholpen,' zei de zuster vriendelijk tegen moeder. Die opende haar ogen en knikte.

'Gelukkig duurt het niet zo lang meer,' zei vader. 'Ze heeft al injecties gehad, maar het dotteren is natuurlijk het belangrijkste.'

'Ik ben bang,' klonk het. Heel zacht, maar Loes en haar vader vingen het toch op.

'Dat kan ik me voorstellen,' zei Loes. 'Maar het gebeurt zoveel, moeder, en meestal knappen de patiënten heel goed op en mogen ze met een paar dagen weer naar huis.'

'Komt best goed, hoor,' zei vader, en hij klopte zachtjes op haar hand.

'Bang om te sterven...' zei moeder.

Loes en haar vader keken elkaar geschrokken aan. Daar had je het weer, dacht Loes. Ze had absoluut niet verwacht dat haar moeder dit zou zeggen.

Ze leefde onberispelijk, ging trouw naar de kerk, las in de Bijbel. Ze had haar kinderen christelijk opgevoed. Ze had er vaak op gewezen dat het geloof in Jezus Christus alleen kon zaligmaken.

En nu dit!

Was het dan alleen maar een geloof dat in haar hoofd zat en niet in haar hart? Een nieuw hart... Daar moesten Hanna en zij iedere avond om bidden, bij het naar bed gaan.

Maar nu had haar moeder zelf angst voor behandelingen, voor de dood en wat al niet meer.

Loes had meer vertrouwen verwacht. Ze had

gewild dat moeder sprak over de hoop die in haar leefde. Dat ze niet zo angstig was.

Maar ze had heel anders gereageerd. Loes zag dat vader aangeslagen was door de reactie van zijn vrouw. Hij nam allebei haar handen in de zijne en op een eenvoudige manier bad hij indringend voor haar. Of God haar leven wilde sparen en haar geloof en genezing wilde geven.

Loes bad in stilte mee, met in haar hart nog de verwondering over de gedachten van haar moeder.

Om acht uur werd deze van de kamer gehaald voor de dotterbehandeling en moesten ze afscheid nemen.

Daarna brak het wachten aan.

'Zullen we in het restaurant beneden een kopje koffie drinken? Dan kunnen we even bijkomen van de schrik en kan ik naar mijn werk bellen om te zeggen dat ik niet op tijd kan zijn.'

Het was al behoorlijk druk in het zelfbedieningsrestaurant, maar ze konden een goed plaatsje vinden waar ze konden zitten.

'Wat zal ik voor u halen?' vroeg Loes haar vader.

'Eigenlijk heb ik helemaal geen trek in eten en mijn hoofd staat er ook niet naar.'

'Toch moet u het wel doen. Straks gaat u terug naar moeder en dan wordt u niet goed vanwege uw lege maag. Even de suikerspiegel opkrikken, zoge-zegd.'

'Ja, dat is zo, doe maar een kop koffie en een broodje met kaas.'

Loes ging het halen, en ze nam voor zichzelf het zelfde recept.

Even later zat vader met lange tanden te eten, maar toch knapte hij ervan op, en hij ging nog een kop koffie halen.

'Jij ook, Loes?'

'Ja, graag.'

Zwijgend dronken ze hun koffie.

Loes zette het kopje neer en haalde haar mobiel tevoorschijn. Op de afdeling mocht je niet mobiel bellen, maar ze dacht dat het in het restaurant wel mocht.

'Even vragen voor alle zekerheid,' zei ze, en ze informeerde bij de bediening of er bezwaar tegen was.

Nee hoor, ze kon hier wel even bellen. Toen ze Mieke aan de telefoon kreeg, vertelde ze in het kort wat er aan de hand was.

'Mag ik wat later komen?' vroeg ze. 'Ik weet niet precies hoe het zal aflopen en of ik hier nog nodig ben.'

Mieke zegde haar alle medewerking toe en vroeg of Loes haar op de hoogte wilde houden.

'Aardige vrouw.' Loes borg haar mobiel in de tas.

'Ik ben heel blij dat je zo'n leuke baan hebt gevonden,' zei haar vader, opgelucht dat ze niet weg hoefde.

'Eerlijk gezegd hadden we vreselijk met je te doen, moeder en ik, toen je door Paul aan de kant werd gezet. Want na een huwelijk van vijfentwintig jaar valt het beslist niet mee om een baan te vinden en het leven op die manier weer op te pakken.'

Loes schoot even vol door de woorden van haar vader. Die bekeek het van de werkelijke kant, en niet van de eigen kant zoals veel mensen deden.

'Zo'n echtscheiding, daar vraag je niet om.'

'Ik ben ook heel dankbaar voor al jullie hulp en steun. Je hebt ook familie nodig waar je tegenaan kunt praten als je het niet allemaal alleen kunt verwerken.'

Loes glimlachte vriendelijk naar haar vader, die op zijn horloge keek.

'Wat denk je, zullen we weer naar de afdeling gaan? We kunnen beter daar wachten dan hier.'

'Dat is goed.' Loes stond gelijk op.

Maar moeder was nog niet terug en de verpleegkundige wees hen een plaatsje in een wachtkamertje.

'Ik heb nog nooit gemerkt dat moeder zo bang was,' merkte Loes op. 'Ik dacht dat haar geloof er wel voor zou zorgen dat ze rustig was.'

'Gelovigen zijn ook maar heel gewone mensen,' zei haar vader. 'Hun gevoelens zijn net als bij anderen. Het geloof kun je niet in alle omstandigheden tevoorschijn toveren als jij dat wilt. Ten diepste is het er natuurlijk wel, maar daarom ben je niet onaantastbaar.'

Loes knikte ten teken dat ze het begreep.

'Ik vind het een mooi boekje, *De enge poort*,' zei ze. 'Ik heb het bijna uit, het leest heel gemakkelijk.'

De verpleegkundige klopte aan de deur. 'Mevrouw is weer terug, u mag naar haar toe. Het gaat prima met haar, de ingreep is goed gelukt, maar ze moet beslist nog rust hebben.'

Loes en haar vader stonden tegelijk op en volgden de verpleegkundige naar de ziekenhuiskamer. Moeder was met bed en al terug, ze had meer kleur op haar wangen en haar ogen stonden helder.

'Wat fijn dat jullie er nog zijn. Moest je niet naar je werk, Loes?'

'Ik heb Mieke gebeld, ze weet er alles van. Ik mag zo lang blijven als nodig is.'

'Is het meegevallen?' vroeg vader.

'Nou, leuk is het niet als je gedotterd wordt. Je ligt dan wel onder de groene doeken.'

Vader kuste haar op de wang en streek haar dooreengewoelde haren glad. Ze keken elkaar liefdevol aan.

Loes kreeg er kippenvel van, maar ze zei niets.

'De dokter komt je straks alles uitleggen,' zei moeder. 'Zo gauw het kan, mag ik weer naar huis. Maar toen ik daar zo lag, moest ik steeds aan een vers denken waarin de regel voorkomt: 'Wie moe was, komt tot rust voorgoed.' Weten jullie misschien hoe dat gedicht verder gaat?'

Loes en haar vader keken elkaar aan en schudden het hoofd. Geen van beiden kende het.

'Ik zal het voor u opzoeken,' zei Loes. 'Hoewel het misschien zoeken is naar een speld in een hooiberg. Is het een psalm of een gedicht, of een gezang?'

'Ik weet het echt niet,' zuchtte moeder. Vader dacht diep na, maar kon het vers ook niet tevoorschijn toveren.

'Misschien in de psalmen,' zei vader. 'Of anders in de gezangen. Als het de eerste regel van een vers is, is het makkelijk in de index op te zoeken, maar als het zomaar een tussenregel is, dan wordt het heel erg moeilijk.'

'Weet u nog een regel?' vroeg Loes aan haar moeder, die de ogen gesloten had.

'Ook iets met volle zaligheid, geloof ik, maar ik weet het niet zeker.'

Loes schreef het op in haar agenda en beloofde haar uiterste best te doen om uit te vinden waar het stond.

Ze nam afscheid om naar haar werk te kunnen gaan.

De ingreep was goed gegaan, ze hoefde niet de hele dag aan het ziekenhuisbed te zitten. Voorlopig zou er toch niets veranderen.

Ze maakte nog een praatje met de hoofdzuster. Loes kon gerust naar haar werk, zei deze. En als er wat zou voorvallen, dan was ze zo gebeld.

'Wat kan er dan nog gebeuren?'

'Ze kan koorts krijgen,' zei de verpleegkundige. 'Maar dat kun je nooit vooruit zeggen en zo ziet het er nog niet uit.'

Maar het gebeurde toch. Loes' moeder kreeg hoge koorts en was verward. Zo veel als mogelijk was, ging Loes op bezoek. Zolang de koorts woedde, kon moeder niet naar huis. Dat viel natuurlijk tegen, maar er was niets aan te doen.

Vader zag er afgetobd uit; hij maakte zich grote zorgen. Nu was de behandeling goed verlopen en zag het er nog slecht uit.

En Loes zocht zich suf naar het gedicht of wat het dan ook was. Ze zocht op internet, in de psalmen, in de gezangen. Ze ging stug verder omdat ze het had beloofd.

Maar eindelijk, eindelijk had ze haar doel bereikt. Ze was blij met het resultaat, want de voortdurende druk zorgde er weer voor dat ze verkeerd ademhaalde, hoewel het niet zo erg was als eerder.

Gelukkig ging het met moeder een stuk beter en werd er al gesproken over naar huis gaan.

Het was een gezang! Loes schreef het op een mooie kaart om mee naar het ziekenhuis te nemen.

Zijn rijk is volle zaligheid,
wie was gevangen wordt bevrijdt,
wie moe was komt tot rust voorgoed,
wie arm was leeft in overvloed.

18

En toen stond Hanna opeens voor de deur. Ze had vanaf Schiphol gebeld dat ze eraan kwam. Nee, ze hoefde niet opgehaald te worden. Ze kwam met de Schipholbus.

Moeder was juist de dag ervoor uit het ziekenhuis thuisgekomen. Loes was naar haar werk. Vader had de telefoon aangenomen; hij wist niet wat hij hoorde.

Hanna stond binnen korte tijd op de stoep. Vader zag haar aankomen. 'Maar Hanna, wat een verrassing. Het gaat hier buitengewoon goed, er is geen crisis meer. Moeder ligt te rusten,' zei hij terwijl hij haar binnenliet.

Ze zette haar koffertje in de gang en hing kalm haar mantel aan de kapstok.

'Ik kom gewoon kijken wat er allemaal aan de hand is,' zei ze. 'Ik heb me erg ongerust gemaakt. We wonen zo ver weg. Je kunt niet even op bezoek komen en ik verlangde ernaar om jullie weer te zien.'

Vader kreeg een knuffel en ze liep snel de trap op, naar de slaapkamer, waar moeder gekleed op bed lag.

'Hanna!' Moeder stak haar armen uit, de tranen liepen haar opeens over de wangen. Hanna ging op het bed zitten en sloeg de armen om haar moeder heen.

'Gaat het goed met u?'

'Ja, gelukkig wel. Wat fijn dat je gekomen bent, maar het was echt niet nodig geweest.'

'Jawel, ik vond het nodig. Het had ook anders af kunnen lopen. Een hartinfarct is niet niks.'

De toestand van haar moeder viel Hanna mee; ze had erger verwacht.

'Ik kom naar beneden.' Moeder zette haar benen naast het bed. 'Wil je iets eten of drinken, Hanna?'

'Nou, een lekker warm kopje koffie zou er wel in gaan,' zei ze.

'Weet je wat, jullie komen op je gemak naar beneden, dan ga ik koffiezetten.' Vader haastte zich de trap af.

Even later zaten ze met z'n drieën in de woonkamer, nippend aan de koffie.

'Waar is Loes?' Hanna keek rond alsof haar zuster ergens verstopt zat.

'Op haar werk.'

'Is ze dan niet hier om jullie te helpen?'

'Loes heeft haar eigen leven. Ze moet haar brood verdienen als alleenstaande vrouw en ze heeft het geluk gehad om een goede baan te vinden.'

'Hebben jullie dan helemaal geen hulp?'

'Zo ver zijn we nog niet. Moeder is pas gisteren uit het ziekenhuis gekomen.'

'Maar dat zou Loes toch kunnen doen?'

'Hanna,' zei moeder. 'Loes heeft ons zo veel als mogelijk was geholpen met alles. We kunnen geen beslag op haar leven leggen. Ze is een volwassen vrouw.'

'Ja, dat snap ik wel.' Hanna zette haar kopje neer. 'Maar in dit geval zou het dus haar taak zijn om jullie in alles bij te staan. Ze kan desnoods weer hier komen wonen om voor jullie te zorgen.'

Vader en moeder keken elkaar verbaasd aan. Ze waren het helemaal niet eens met de voorstellen van hun dochter.

'Ik vraag toch ook niet aan jou om zoiets te doen?' was het antwoord. 'Trouwens, jij hebt daar zelf overal hulp voor, huishoudsters en wat niet al.'

'Ja, dat is heel gemakkelijk. Ik zou al die hulp niet graag willen missen. Daarom kan ik me voorstellen dat hier meer hulp nodig is en daar is Loes geknipt voor. Ze heeft geen man, geen kinderen, ze kan doen wat ze wil.'

'Maar wie betaalt haar huur, kleding, eten en drinken dan?'

'Ze kan toch hier wonen.'

Nu werd het vader te gek en hij liet dat goed merken. 'Hanna, ik denk dat je moe bent. Neem een douche of een bad en ga even rusten. Misschien heb je wat last van een jetlag.'

'Nou, dat denk ik niet, want zo ver is het niet van hier naar Dubai. Komt Loes hier straks eten?'

'Niet dat ik weet, maar het lijkt me wel gezellig dat ze na haar werk hierheen komt.' Hij stak haar de telefoon toe. 'Hier, bel haar maar!'

Hanna drukte de toetsen in.

'Met de fysiotherapiepraktijk van mevrouw Zwaan.'

'Ben jij dat, Loes?'

'Ja. Spreek ik met Hanna, er is toch niets?'

'Nee, ik ben hier, bij vader en moeder om te kijken hoe alles gaat.'

'Dus je belt niet uit Dubai?'

'Nee, uit het ouderlijk huis.'

'Wat leuk dat je er bent, dat is een verrassing. Hoelang blijf je?'

'Een paar dagen, denk ik. Maar wat ik vragen wil: kom je na je werk hiernaartoe?'

Loes dacht even na of ze iets anders had of dat ze iets moest afzeggen. Maar er kon haar niets te binnen schieten.

'Nou graag, ik zal blij zijn je weer eens te zien.'

'Tot straks dan.'

Wat fijn, dacht Loes, om eens met Hanna te praten. Ze had zo veel zorgen gehad om haar moeder. Gelukkig dat het nu goed ging en ze thuis kon opknappen. Ze had al besloten om eens een extra keer langs te gaan om te koken of te strijken en moeder wat werk uit handen te kunnen nemen. Hoewel haar vader heel handig was in het huishouden; hij kon bijna alles wat er dagelijks kwam kijken.

Ze had het echt getroffen met zo'n vader, want mannen van de oude generatie konden soms nog geen water koken.

Bij de jonge mensen was dat vaak beter verdeeld en had ieder zijn taak in het huishouden. Vaak werkten ze allebei en keken ze er dus anders tegenaan.

Ze belde haar vader nog even om te vragen of ze soms nog langs de supermarkt moest gaan, nu ze er opeens twee eters bij kregen.

'Ben je mal, kind, ik heb vier tartaartjes uit de diepvries gehaald, we hebben nog een krop ijsbergsla en een pot doperwten, dus het zit wel goed met dat eten van ons. Nee, kom maar lekker hiernaartoe na je werk, we verheugen ons erop.'

Nou, dat zit dus zeker wel goed, dacht Loes.

Na haar werk reed ze de bekende weg naar haar ouderlijk huis. Het was al vroeg donker en Loes zag tegen de lange, donkere winter op.

Ze begroette Hanna heel hartelijk. 'Wat fijn dat je er bent. Voor moeder is dat bijzonder leuk, juist omdat ze weer thuis is uit het ziekenhuis.'

'Ik maakte me ongerust,' zei Hanna. 'Vooral als je zo ver weg zit en je niet even om een hoekje kunt kijken, is het heel beangstigend. Ik zie dat je een bekend kettinkje om hebt.' Hanna's blik viel op het gouden sieraad dat ze Loes cadeau had gedaan.

'Ik draag het altijd, in plaats van mijn zilveren halsband,' zei Loes met een knipoog.

'Zie je hem nog weleens?' vroeg Hanna nieuwsgierig.

'Nee, eigenlijk niet. Een tijdje geleden heb ik ze wel samen zien lopen. Paul met haar kind aan zijn hand en zij met een dikke buik.'

'Dat deed zeker wel pijn?'

'Laten we het alsjeblieft over iets anders hebben,' zei Loes.

Natuurlijk had het pijn gedaan. Het had geleken of ze met een mes was gestoken. Maar iedere keer als ze eraan dacht, wreef ze zout in de wonden. Ze wilde het achter zich laten. Als ze altijd maar weer met het verleden bezig was, hoe zou ze dan tijd hebben om aan de toekomst te denken?

'Ik denk dat ik maar eens met het eten moet beginnen,' zei vader, die de pijn in de ogen van Loes had gezien en een eind wilde maken aan het gesprek.

'Ik help wel mee.' Moeder kwam overeind uit haar makkelijke stoel.

'Geen sprake van,' zeiden ze alle drie tegelijk.

'Blijf maar zitten, moeder,' zei Loes, 'en praat lekker met Hanna. Die hebt u zo lang niet gezien. Dan ga ik met vader de keuken in. Wat zal ik doen, pa, tartaartjes bakken of sla aanmaken? U zegt het maar.'

Toen ze gegeten hadden, de afwas was opgeruimd en ze gezellig bij elkaar zaten, bracht Hanna opnieuw het door haar uitgedachte plan ter sprake.

'Loes, zou jij vader en moeder niet willen helpen nu moeder een hartinfarct heeft gehad? Je zou zo veel voor hen kunnen betekenen.'

'Hoe bedoel je dat?' vroeg deze verbaasd.

'Nou, je zou bijvoorbeeld weer thuis kunnen gaan wonen en een steun en toeverlaat voor hen kunnen zijn.'

'Maar hoe moet het dan met mijn werk, mijn huis en mijn eigen leven?'

'Tja, dat zou je dan op moeten geven, maar dan

doe je een geweldig goed werk. Vader en moeder zouden geen vreemde hulp hoeven nemen.'

'Hoe krijg je dat uitgedacht.' Loes voelde zich verschrikkelijk boos worden. 'Heb je dat helemaal alleen bedacht?'

'Nee, Bert vond het ook wel een goed idee. Dan heb je weer een doel in je leven.'

Loes was verbijsterd. Haar adem ging vlug en hoog. Het gaat verkeerd, dacht ze, het gaat verkeerd. Laat me alsjeblieft niet flauwvallen.

Ze stond op en liep zonder een woord te zeggen naar buiten. Ze leunde tegen de muur om haar ademhaling weer onder controle te krijgen. De oefeningen van Mieke paste ze toe.

Hoe verzon Hanna dit. Wat een egoïstisch monster toonde zich haar eigen zus.

Omdat ze een alleenstaande vrouw was, zou ze alles moeten opgeven om huishoudster te worden in haar ouderlijk huis. Net als al die andere vrouwen die hiertoe gedwongen werden met mooie woorden en een beroep op hun schuldgevoel.

Maar ouders werden ouder en ze zouden op een dag sterven. En wat was er dan nog over voor de huishoudster? Een leven in de bijstand, en dat was armoede. Geen werk, geen pensioen. Ze moest er niet aan denken.

'Loes, hoe gaat het met je?' Er werd een hand op haar schouder gelegd. Het was haar vader.

'Slecht,' zei ze, en de tranen stroomden over haar gezicht.

Ze pakte zijn hand. 'Wilt u dit ook, en denkt moeder er ook zo over?' snikte ze.

'Nee, Loes, wij vinden het een dwaas plan van Hanna. Natuurlijk zou het fijn zijn om hulp te krijgen van een eigen dochter. Maar niet ten koste van alles. Ik weet hoeveel pijn en verdriet je hebt gehad, en nog steeds, en hoe dapper je bent geweest. Nu je een eigen bestaan hebt opgebouwd, zijn we alleen maar trots op je. Ga je mee naar binnen?'

Loes knikte en liep schoorvoetend mee. Ze was overweldigd door het probleem dat Hanna op haar schouders had gelegd. Ze had er in de verste verte niet aan gedacht dat zoiets van haar verlangd zou worden.

'Heb je gehuild?' vroeg Hanna, die haar gezicht afspeurde. 'Zo erg moet je het nu ook weer niet opvatten. 't Was maar een idee.'

'Het was niet zo'n goed idee,' zei vader, die Loes op de schouder klopte.

'Dat zouden we helemaal niet willen,' was moeder het met hem eens. 'Ik kan je niet begrijpen. Ik zou net zo goed kunnen zeggen: doe het zelf maar, kom hier maar wonen en volg je eigen raad op.'

'Ik heb een gezin,' zei Hanna. 'En jij hebt geen man en kin...'

'Nee, die heb ik niet,' brak Loes Hanna's zin af. Ze kon niet van harte meer meedoen met het gesprek en ze was blij dat ze kon opstappen, naar haar eigen huis.

'Ik moet morgen weer vroeg op, ik ben moe, dus ik wil graag naar mijn bed.'

Ze nam hartelijk afscheid van iedereen en verdween de donkere avond in.

Maar eenmaal in haar lekker warme bed kon ze niet in slaap komen. Haar gedachten waren bezig met het probleem dat opeens was opgedoemd. Ze zou er natuurlijk met andere mensen over kunnen praten. Maar iedereen zou een andere oplossing aandragen en dan wist ze nog niet wat de goede was. Ze zou er in ieder geval met Mieke over praten.

Die was heel resoluut.

'Ben jij nou helemaal, Loes. Wat is dat voor een idee? Je moeder heeft een hartinfarct gehad. Sommige mensen leven daarna nog tientallen jaren. Als je getrouwd was, zou je zoiets ook niet kunnen doen. Dat je daar een handje uitsteekt, prima, dat doe je nu ook al. En je vader is nog fit. Nee, ik zou de ideeën van je zus maar vlug vergeten.'

'Dus je vindt het ook overdreven?'

'Zeker, maar ze probeert je een schuldgevoel aan te praten. Dat is helemaal niet nodig. Zo proberen mensen vaak hun zin te krijgen: door de ander met schuldgevoelens op te zadelen. Nee, Loes, wees verstandig!'

'Dat besluit heb ik al genomen,' zei Loes opgelucht. 'Ik zou me bijna hebben laten bepraten.'

En met dat besluit had Loes vrede.

Toch werd het nog een leuke tijd met Hanna als logé. Ze gingen gezellig winkelen. Loes had er een vrije dag voor opgenomen. Ze kwamen ook eten bij Loes, die een rijsttafel had klaargemaakt. Ze had er veel werk aan gehad, maar de gasten waren er vol lof over.

Hanna wilde in haar ouderlijk huis heel graag weer eens stamppot eten. Zuurkool met rookworst, hutspot, ze genoot ervan. Zulke maaltijden waren er niet in Dubai.

Ook had Hanna gesprekken over de dag dat ze met Bert en Louise weer naar Nederland zou komen.

Ze zou best het ouderlijk huis willen kopen, maar dan zouden vader en moeder toch iets anders moeten hebben.

Vooral moeder had er wel oren naar. 'Ik zou best in net zo'n huis willen wonen als Loes,' zei ze. 'Alles gelijkvloers, geen trappen dus. En dan misschien wat hulp van de thuiszorg. Nou, dat zie ik wel zitten.' Vader vond het ook niet gek, maar hij zou dan wel heel graag een tuintje erbij willen hebben. Daar kon hij dan wat in rommelen. Een appartement was voor hem geen optie.

En zo brak al snel de dag van het vertrek aan. Loes had beloofd om Hanna naar Schiphol te brengen. Het vliegtuig ging al behoorlijk vroeg, maar het was zaterdag, dus als Loes weer terug was, kon ze desnoods nog een tijdje het bed in duiken als ze daar behoefte aan zou hebben. De sfeer tussen hen was helemaal opgeklaard toen Hanna had gezegd dat ze een probleem had gemaakt van iets dat helemaal geen probleem was.

Ze reden samen naar Schiphol. Allebei met weinig woorden vanwege het vroege opstaan.
Loes wees naar de lucht.
'Kijk eens, je ziet de dag beginnen. Allemaal lichte vegen boven de horizon.'
Er was een mooie dag voorspeld.
Na het parkeren van de auto gingen ze een kop koffie drinken om helemaal wakker te worden.
Ze namen afscheid van elkaar met een innige omhelzing.

Loes bleef wachten tot Hanna's vliegtuig vertrok. Het toestel raasde over de startbaan, steeg op en verdween als een grote, zilveren vogel in de lucht.

Epiloog

Het was een mooie, warme zomerdag. De natuur was groen en fris en de zon straalde aan de hemel.

Loes had haar tuinstoel en een kleine tafel buiten gezet.

Ze kwam het terras op met een blad waarop een kop koffie, de krant en een bordje met een groot stuk MonChou-taart. Ze genoot van de taart, zittend in haar stoel en kijkend naar de mooie natuur. Het was drie jaar later en de tijd was omgevlogen.

Ze had het leven geaccepteerd zoals het was, dat gaf rust.

Het stuk taart had ze van Hanna gekregen die een meester was in het MonChou-taarten maken.

Hanna, Bert en Louise waren terug in Nederland en woonden in het ouderlijk huis, dat ze hadden gekocht en opgeknapt. Haar ouders hadden eenzelfde huis als Loes, maar dan aan de andere kant van het dorp. Het ging goed met hen en één morgen in de week hadden ze thuishulp.

Betty, de vroegere hulp van Loes, werkte nu bij Hanna, tot ieders tevredenheid. Loes had na haar EHBO-diploma ook dat van doktersassistente gehaald. Ze werkte nog steeds bij Mieke.

Ze ging trouw naar de Bijbelkring van de kerk, waar ze veel leerde en graag naartoe ging.

Ze zocht naar het ware geloof, dat alleen te verkrijgen was door de woorden die Paulus tot de gevangenbewaarder zei: 'Geloof in de Heere Jezus Christus en gij zult zalig worden.'

Paul en Eline hadden samen twee kinderen gekregen. Een jongen en een meisje.

En dan was er nog Simon. Hij was een cliënt van hun praktijk. Hij was met een gebroken arm naar hen verwezen voor oefeningen. Een weduwenaar van middelbare leeftijd, zonder kinderen.

Hij had haar mee uit eten genomen en bloemen gestuurd, maar ze durfde het niet aan verder te gaan. Ze was bang om voor de tweede keer met lege handen te staan. Na een goed huwelijk was ze in een diepe put gevallen en hoewel het misschien nooit zou gebeuren, wilde ze niet het risico lopen opnieuw verlaten te worden. Het was goed zo!